D0409783

Ik overleefde voor mijn kind

Clara Rojas

Met medewerking van Isabel García-Zarza

Ik overleefde voor mijn kind

Vertaald door Jacques Meerman

ARENA

Oorspronkelijke titel: *Cautiva*
© Oorspronkelijke uitgave: Plon, 2009
© Nederlandse uitgave: Arena Amsterdam, 2009
© Vertaling uit het Spaans: Jacques Meerman
Omslagontwerp: Studio Jan de Boer, Amsterdam
Foto voorzijde omslag: Jean-Luc Luyssen/Gamma/Eyedea
Foto's achterzijde omslag: EPA/ANP Photo
Typografie en zetwerk: Mat-Zet B.V., Soest
ISBN 978-90-8990-083-8
NUR 302

Ik bedank in het bijzonder Isabel García-Zarza voor haar hulp bij de redactie van dit boek.

C.R.

Inhoud

1

Vanuit de vrijheid

22 juli 2008

Sinds bijna zes maanden ben ik vrij. Toch lijkt het leven soms nog steeds een droom. Elke ochtend word ik heel vroeg wakker door het getjilp van de vogels. Op de savanne van Bogotá, waar ik woon, geniet ik vanuit mijn raam van het berglandschap, en er gaat geen ochtend voorbij zonder dat ik dankbaar ben voor het feit dat ik nog leef. Elke dag is dat het eerste wat ik doe zodra mijn ogen open zijn. Ik ben dankbaar voor het weerzien met mijn moeder, mijn zoon Emmanuel, met mijn familie en vrienden en met alle anderen van wie ik houd. Ik ben gelukkig omdat mijn ontvoering en gevangenschap voorbij zijn. Alles is alleen nog een herinnering. En nu mijn leven weer zijn normale loop heeft in het gezelschap van de mensen die van mij houden, lijkt het ongelooflijk dat ik me nog maar zes maanden geleden, toen ik in het oerwoud aan het wegrotten was, eenzaam en vergeten heb gevoeld.

Veel mensen vragen me of ik veranderd ben, of ik nog steeds de Clara van vóór mijn ontvoering ben. Ik zeg dan: ja. Tot op zekere hoogte ben ik nog dezelfde, alleen met een litteken op mijn buik en diepe voren in mijn denken en mijn hart, die ik mettertijd hoop uit te wissen. Soms word ik door melancholieke gevoelens belaagd, maar mijn zoon Emmanuel is gelukkig in mijn buurt. Natuurlijk zou ik liever hebben gehad dat die zes jaren van mijn leven niet gestolen waren. Maar ik leef nog. En kan het dus navertellen. Iedereen vertelt hoe het hem of haar in de oorlog is vergaan, en deze verteller ben ik. Een van de vele soldaten. Dit is mijn verhaal.

Ik schrijf het vanuit het diepst van mijn hart, en wel om diverse redenen. In de eerste plaats heb ik er altijd van gedroomd om een boek te schrijven. Er zijn al verschillende niet-literaire geschriften van mijn hand, maar dit is mijn kans om mijn hart en ziel te openen en een gebied te betreden waarvan ik altijd gehouden heb: de wereld van de letteren. Bovendien vond ik het belangrijk om mijn getuigenis te publiceren. Ik laat het na aan mijn zoon en de nieuwe generaties die hij vertegenwoordigt, want ik streef naar een land waarin vergeving, verzoening, tolerantie en vrede belangrijk zijn. In de derde plaats wil ik u mijn ervaringen vertellen om u te laten begrijpen welke problemen ik heb moeten oplossen. Ik hoop, kortom, dat de lezing van dit boek uw betrokkenheid vergroot.

2

Mijn moeder

Mijn leven is op tal van manieren gezegend, maar een van de grootste zegeningen is zonder twijfel mijn moeder. Uiteraard ben ik dankbaar voor haar bestaan, haar voorzichtigheid, haar wijsheid, haar energie en haar onmetelijke vrijgevigheid.

Het lijkt hooguit een dag geleden dat ik in het oerwoud het hek rond mijn gevangenis omklemde en huilend eiste dat ze me vrijlieten. Ik snakte naar het gezelschap van mijn lieve moeder, hunkerde naar haar, voelde haar angst en haar uitputting en wist dat ze mijn aanwezigheid nodig had.

Het was begin mei 2006. Het zal rond zes uur 's middags zijn geweest en het werd al donker, toen de commandant van onze gevangenis ineens opdook met het bevel om iedereen te roepen. Hij had een tijdschrift in zijn hand en zei tegen mij: 'Kijk, hier staat je moeder. Nu weet je dus dat het goed met haar gaat. Je hoeft dan ook niet meer aan het hek te staan hengsten. We worden helemaal stapelgek van je driftbuien...' En hij gaf me het tijdschrift *Semana*. Op het omslag stond inderdaad mijn moeder met het bijschrift: 'Als mijn dochter in het oerwoud een zoon heeft gekregen, dan wil ik hem in mijn armen houden.' Huilend van aandoening trok ik me meteen terug in mijn *toldillo* – mijn klamboe. Volgens mij heb ik hem niet eens voor het tijdschrift bedankt. Even later kwam een medegevangene naar

11

me toe met de eis dat ik het blad snel uitlas omdat het voor iedereen bestemd was. Ik moest het teruggeven. Ik hoorde zelfs enig ongenoegen in zijn stem maar kon niet begrijpen waarom iedereen ineens belangstelling voor het artikel had en waarom ze me niet gewoon met rust lieten. Ik wilde niets anders dan alleen zijn met mijn moeder. Op de foto stond een mooie maar uitgeputte vrouw. De medegevangene die het tijdschrift opeiste, wist een stompje kaars voor me te pakken te krijgen en leende me zijn bril om haar beter te kunnen bekijken. Er zat dus niets anders op dan het artikel hardop voor te lezen, maar toen begonnen sommigen te klagen dat ik zachter moest praten omdat ze de radio niet konden verstaan.

Het artikel ging over de eerste aanwijzingen die er waren dat ze een kleinkind had. Ik was erg blij met haar warme reactie, want ze zei onomwonden: 'Hoe het ook zij, ik ben hier en wacht tot ik hen allebei kan omhelzen.' Ze heeft ook ruimschoots woord gehouden. Op het vliegveld van Caracas was zij de eerste bekende die ik zag zodra het vliegtuig me aan de vrijheid teruggaf. Zij was het die op de eerste dag van mijn terugkeer in Colombia meeging om mijn zoon op te halen. En zij is het die elke dag van ons nieuwe leven in onze nabijheid is.

Dank je, lieve mama, voor je bestaan. Je bent een voorbeeld van goedheid en waardigheid op momenten van intens verdriet.

3

De dag ervoor

Vrijdag 22 februari 2002
Haastig kwam ik in het hoofdkwartier van de campagne aan. Het zal een uur of elf 's morgens zijn geweest. Alle andere deelnemers waren er al, en de vergadering was al begonnen. Er zaten ongeveer vijftien mensen: de presidentskandidate voor de Verde Oxígeno-partij (Ingrid Betancourt), haar man, het hoofd van de beveiliging, de media-adviseurs en een paar helpers en medewerkers.

Zodra Ingrid me zag binnenkomen, vroeg ze: 'Hoe ging het programma?'

'Goed. Het begon alleen een beetje laat,' antwoordde ik.

'Je bent woedend,' merkte een van de andere aanwezigen op.

Ik begon te lachen en merkte in alle nederigheid op: 'Aan optredens voor de tv zal ik wel nooit helemaal wennen.'

Daarna ging de vergadering gewoon door, maar ik kon dat tv-programma waaraan ik had deelgenomen, niet van me afzetten. Het ging over de Colombianen die voor het gewapende conflict op de vlucht waren geslagen, en was een soort debat waarin de vertegenwoordigers van de politieke partijen hun opvatting uiteenzetten. Ineens drong tot me door dat aan de vergadertafel een nogal gespannen sfeer hing door ieders bezorgdheid over de reis die Ingrid de volgende dag naar San Vicente del Caguán ging ondernemen.

De Colombiaanse president Andrés Pastrana had een paar dagen eerder verklaard dat zijn vredesonderhandelingen met de Fuerzas Armadas Revolucionarias de Colombia ('gewapende revolutionaire strijdkrachten van Colombia'; FARC) mislukt waren, en hief toen de gedemilitariseerde zone op die vanwege de dialoog[1] was ingesteld. En nu analyseerden we de voor- en nadelen van een reis naar precies dat gebied op precies dat moment. Het ontging niemand dat het vanwege de aanwezige guerrillastrijders een riskante tocht was, en er waren niet veel vrijwilligers. Een van de aanwezigen merkte op dat we ons bezoek al een hele tijd hadden uitgesteld en dat de burgemeester van San Vicente, lid van Verde Oxígeno, aan Ingrid had gevraagd om hem in deze kwetsbare periode met haar aanwezigheid te steunen. We waren ook bezorgd vanwege de burgerbevolking in die gemeente; onze reis kon een goede gelegenheid zijn om te tonen dat wij een alternatief hadden voor de situatie waarin het land verkeerde. We bespraken met z'n allen wie met de kandidate mee kon gaan, afgezien van de twee Franse journalisten die een reportage over Ingrids campagne maakten, de media-adviseurs en de veiligheidsmensen.

Aan die discussie waren we bezig, toen Ingrid zich omdraaide en vroeg: 'Clara, ga jij mee?'

Ik aarzelde geen moment en zei: 'Natuurlijk. Hoe laat vertrekken we?' Met dat antwoord probeerde ik mijn vertrouwen in de campagne en de kandidate te bevestigen en het enthousiasme te herstellen dat iedereen sinds een paar maanden kwijt was. Ik vond dat ze als campagneleidster een voorbeeld van vriendschap en trouw moest zijn en een boodschap aan de partijleiding moest afgeven. We werden namelijk geplaagd door deserties. In de week daarvoor hadden diverse leiders zich uit de campagne teruggetrokken, onder wie de financiële coördinator, de politieke coördinator en een vrouwelijke senator. En voor deze vergadering was de woordvoerder van de campagne niet komen opdagen. Vandaar mijn antwoord aan Ingrid. Maar later, tijdens de lange jaren van mijn gevangenschap, raakte ik er steeds vaster van overtuigd dat mijn reactie een domheid, om niet te zeggen stompzinnigheid was geweest. Ik had het moment en de plaats gewoon volstrekt verkeerd ingeschat.

Onze medewerkers zeiden dat we de volgende ochtend om vijf uur op El Dorado, het vliegveld van Bogotá, moesten zijn, en ik ging lunchen in mijn kleine flatje dat zich op maar een paar huizenblokken van het hoofdkwartier bevond. Zodra ik daar was, belde ik een van mijn broers om te zeggen dat ik de volgende dag niet met hem mee kon naar zijn buitenhuis omdat ik met Ingrid op reis moest. Hij vroeg waarom dat zo nodig moest, en ik zei dat ik haar niet alleen wilde laten gaan en bovendien onze solidariteit met de burgemeester van San Vicente en de burgerbevolking wilde tonen. Hij wenste me een goede reis en een behouden terugkeer, en zei dat ik iets heerlijks misliep. We namen afscheid, en ik wachtte op een telefoontje van mijn moeder, die nog moest bevestigen of ze die avond naar Bogotá kwam.

Na de lunch ging ik naar het hoofdkwartier terug en bereidde ik allerlei zaken en activiteiten voor de week daarna voor. Onze reis zou maar twee dagen duren, en we wilden op zondagmiddag in Bogotá terug zijn. Om een uur of zes ging ik weer naar huis. Ik was nog maar nauwelijks binnen, of de intercom en mijn telefoon rinkelden tegelijkertijd. Ik werd opgehaald om uit eten te gaan, en het hoofd van onze beveiliging belde om te zeggen dat hij me een fax ging sturen met een uiteenzetting van de redenen waarom onze reis van de volgende dag zo riskant was.

Ik belde Ingrid op haar mobiele telefoon. Ze was op een verjaardagsfeest, en ik kreeg haar man aan de lijn, aan wie ik de situatie uitlegde. Hij zweeg en ging Ingrid zoeken, die even later aan het toestel kwam en zei: 'Clara, als je niet mee wilt gaan, blijf je hier, maar ik ga hoe dan ook.' Ik vond het een erg bruusk antwoord en probeerde haar te kalmeren door ongeveer te herhalen wat ik ook al tegen haar man had gezegd. Na een moment van stilte zei ze: 'Ik bel je nog.'

Voor mijn huisdeur wachtte de vriend die me ophaalde om uit te gaan. Ik vertelde wat er aan de hand was. Hij vond me natuurlijk gespannen, en ik stelde voor om niet uit eten te gaan maar thuis te blijven omdat ik de volgende ochtend vroeg op moest. We bestelden telefonisch een maaltijd, en even later werd er opnieuw gebeld. Het was Ingrid, die blijkbaar heel snel van het feest vertrokken was. Op een verzoenende toon zei ze tegen me: 'Luister, Clara, maak je geen zorgen. Er gebeurt echt niets. Morgenochtend vroeg stuur ik een auto, en dan gaan we samen naar het vliegveld.' Daarop zei ik dat ik met haar meeging, maar ik stond erop dat ze alles las wat de man ons per fax had toegestuurd. Ik hing op. Meteen daarna kwam de maaltijd die we besteld hadden. Daar was ook een koude fles witte wijn bij, en ik kon dus niets anders doen dan ontspannen genieten van het samenzijn.

Tijdens mijn gevangenschap heb ik veel over die avond nagedacht en liet ik alle momenten ervan de revue passeren. Misschien is dat de reden dat ze me nog zo helder bijstaan. Ik kan mijn gepieker als volgt samenvatten: als ik een fout heb gemaakt, dan is dat op die dag gebeurd. Ik had tegenover Ingrid vasthoudender moeten zijn, hoewel dat niet makkelijk zou zijn geweest. Ik had tegen haar moeten zeggen dat ik niet ging en moeten afwachten of ze de moed had om alleen te gaan. Op die manier zou de geschiedenis misschien anders zijn gelopen en hadden we het treurige van de ontvoering niet hoeven meemaken.

Mensen die verstand hebben van besluitvorming, vinden dat de beslissing van die dag te emotioneel was genomen en geen demonstratie van een absurde overmoed had mogen zijn. We waren twee vrouwen, burgers zonder enige militaire achtergrond, en stonden tegenover een ongeregeld leger dat het land al meer dan veertig jaar in zijn ban hield. Toch blijft overeind dat we later tijdens onze gevangenschap meer daadkracht, discipline en volharding toonden dan veel andere gijzelaars – de militairen en politiemannen niet uitgezonderd.

Aan het begin van onze reis hadden we ook niet de noodzakelijke veiligheidsgaranties gekregen waarop de andere presidentskandidaten later konden rekenen, waardoor hun een ontvoering bespaard bleef. Dat geluk hadden we niet en die steun evenmin. Daarom geloof ik dat het een wonder is dat ik nog leef.

Toen mijn vriend die nacht wakker werd, gaf hij me een kus en omhelsde hij me met kracht. Zonder overdrijving mag ik stellen dat dit het laatste gebaar van genegenheid en vriendschap was dat ik tot de dag van mijn bevrijding gekregen heb.

4

De dag zelf

Ik stond om vier uur 's nachts op en nam de tijd om lekker warm te douchen. Om tien voor half vijf stond ik klaar. De chauffeur wachtte buiten op me, en samen gingen we Ingrid halen. Toen we bij haar duplexwoning in de bergen kwamen, bleek ze nog niet klaar te zijn en liet ze me bovenkomen. María, die al heel lang haar huishoudster was, bood me een heerlijk glas tamarillosap aan. Samen met Ingrids kleine, goudgele labrador genoot ik van het uitzicht over de stad. Het was nog donker, en vanuit het salonraam waren de talloze lichtjes van de hoofdstad te zien. Ineens een schreeuw: dat was Ingrids man, die de huishoudster riep om iets te komen brengen. Even later kwam Ingrid naar beneden. De dag brak al aan, maar we waren ruim op tijd. Onderweg naar het vliegveld kregen we de bevestiging dat de burgemeester en de pastoor van San Vicente del Caguán ons die middag zouden ontvangen.

Eenmaal in de terminal werden we omringd door onze perschef en diverse cameramensen die wat beelden van onze reis wilden vastleggen. Het vliegtuig vertrok om kwart over zes, precies op tijd. Onderweg bladerden we de dagbladen door. De belangrijkste krant van het land publiceerde een artikel onder de kop: INGRID BLIJFT ALLEEN ACHTER. CAMPAGNE STROOMT LEEG. Inderdaad hadden diverse vooraanstaande deelnemers aan haar campagne zich teruggetrokken. Vóór onze aankomst in Florencia, in het Zuid-Colombiaanse departement Caquetá, maakten we een tussenlanding in Neiva, en daar gaven we in de vip-ruimte een perscommuniqué waarin we stelden dat er van 'leegstromen' geen sprake was. Ingrid bleef niet alleen achter en zette haar activiteiten met het gebruikelijke tempo voort. Toch merkten we een zekere verkilling om ons heen. De situatie was niet bepaald erg gunstig. Ik moest ineens denken aan de schreeuw van haar man, waarin de nodige spanning had doorgeklonken. En nu dit weer. Ik voelde me dan ook verplicht om haar te steunen.

In Neiva moesten we een paar uur wachten. Desondanks waren we al vóór negen uur 's ochtends in Florencia. Het beveiligingspersoneel van het vliegveld ontving ons daar heel vriendelijk. We werden naar een speciaal zaaltje gebracht en kregen te horen dat enkele helikopters even later naar San Vicente del Caguán zouden vertrekken en dat waarschijnlijk maar een paar leden van ons gezelschap konden meevliegen.

Toen begon een tijd van schijnbaar eindeloos wachten. Om een uur of tien hoorden we een enorm lawaai en zagen we een stel politiehelikopters aankomen. Meteen daarna verscheen een grote groep jonge politiemensen – mannen en vrouwen. Ze waren rond de twintig en keken allemaal energiek en vastbesloten. Iedereen had al zijn kleren en verdere uitrusting op zijn rug. Op de landingsbaan van het vliegveld stonden de legerofficieren die het bevel gaven om in de helikopters te stappen, want daarmee werden ze naar San Vicente gebracht om de aankomst van de president voor te bereiden.[2] Tijdens die eerste vlucht was alleen plaats voor hen.

Vervolgens landde een zwarte Hercules uit Bogotá met een groep buitenlandse journalisten die blijkbaar allemaal toestemming hadden om het bezoek van de president te verslaan. Rond elf uur 's morgens verscheen eindelijk het presidentiële vliegtuig. Pastrana stapte uit, vergezeld door zijn eigen secretaris-generaal. De erewacht stond aangetreden. Tijdens zijn wandeling naar de helikopters passeerde hij ons, want wij stonden inmiddels op een paar meter afstand op de landingsbaan. We volgden hem met onze blik, maar hij vervolgde zijn weg en stapte zonder iets tegen ons te zeggen in de helikopter, die onmiddellijk opsteeg. Ik vertrok geen spier maar moet bekennen dat zijn houding me verraste, want tot die tijd had hij ons altijd vriendschappelijk begroet. Nog vreemder vond ik het dat hij zich ook tegenover Ingrid zo gedroeg, want zijn familie was al heel lang bevriend met de hare, en ze schenen zelfs samen te zijn opgegroeid. Voordat hij tot president werd gekozen, was zij bovendien een van de vooraanstaande vrouwelijke senatoren geweest die door het land trokken om de stemmen te trekken waarmee hij uiteindelijk gekozen werd. Ik had nooit kunnen vermoeden dat hun vriendschap zo sterk bekoeld was.

Plotseling en zonder dat iemand ook maar enige uitleg gaf, zagen we een stel mensen in de overgebleven helikopters stappen. Ze vertrokken en lieten ons op het vliegveld achter, hoewel bij onze aankomst was gezegd dat we met een van die toestellen konden meevliegen. Wat de reden ook was, de veiligheidschef van onze campagne kreeg geen toestemming en wist ook niet de vereiste medewerking te krijgen om door de lucht naar San Vicente te reizen, zoals de bedoeling was geweest.

Achteraf is het makkelijk om schuldigen aan te wijzen, maar als de president zich die dag anders gedragen had, zouden we toen waarschijnlijk niet ontvoerd zijn. Dan hadden we per helikopter gereisd en waren we nog diezelfde avond vanuit Florencia naar Bogotá teruggegaan, zoals ook hijzelf deed met zijn gevolg en de stoet internationale verslaggevers. Die avond waren wij al gevangen en zagen we het verslag van zijn bezoek op de tv in het kamp waar de guerrillero's ons naartoe hadden gebracht. Onze ontvoering werd pas de volgende dag bekendgemaakt, en ik weet nog steeds niet waarom dat zo lang duurde, want de veiligheidschef verloor om twee uur 's middags het contact met ons en had onze verdwijning toen meteen moeten melden.

Het is vreemd, maar tijdens mijn gevangenschap heb ik over weinig mensen zo veel nagedacht als over Pastrana.[3] Dat deed ik misschien vanuit de ietwat absurde gedachte dat een president alle problemen van een land kan oplossen. Na mijn bevrijding was hij een van de eerste ex-presidenten die me vanwege mijn moedige houding feliciteerde, en hij stuurde me een brief die ik altijd bewaard heb. Ik ben ervan overtuigd dat hij onze ontvoering had kunnen verhinderen, of in elk geval de maatregelen had kunnen nemen om ons vrij te krijgen – niet in de vorm van de militaire bevrijdingsoperatie, waartoe hij na twee dagen in het oerwoud bevel gaf en waarbij een paar soldaten sneuvelden, maar via onderhandelingen en een overeenkomst. Maar laten we niet vergeten dat zijn mandaat vijf maanden later afliep; in die periode maakte hij op mij de indruk dat hij afscheid aan het nemen was, en om die reden verwaarloosde hij misschien zijn taken. Hoe dan ook, het ging niet alleen om ons maar ook om diverse politici uit het departement Huila[4] en de ex-gouverneur van Meta,[5] die in de maanden daarvoor ontvoerd waren. Ook allerlei militairen en politiemannen waren – soms al jarenlang – in handen van de FARC. En korte tijd na onze ontvoering gebeurde hetzelfde met de afgevaardigden uit Valle del Cauca[6] en de gouverneur van Antioquia met zijn vredesadviseur.[7]

Toen het tot ons doordrong dat het vliegveld vrijwel leeg was, konden we niets anders doen dan nagaan of we over land konden reizen.[8] Het Departamento Administrativo de Seguridad (DAS) van Florencia was bereid ons een blauw busje te lenen, maar kon ons niet escorteren. Onze hele groep kwam in een kamertje bijeen om te besluiten wie de reis zou voortzetten. De politieofficier die voor onze veiligheid verantwoordelijk was, liet weten dat hij niet met ons meeging, en de andere lijfwachten sloten zich daarbij aan. Ik weet niet goed hoe die politieman tot zijn besluit kwam, want hij had opdracht om Ingrid overal op Colombiaans grondgebied te beschermen. Ook een Franse journaliste, de vertaalster en onze perschef besloten achter te blijven.

Onze groep bestond toen nog maar uit vijf mensen: Ingrid, de chauffeur, een Franse journalist, een cameraman en ik. De veiligheidschef hielp ons gelukkig nog door witte vlaggen en posters van presidentskandidate Ingrid Betancourt op de auto te bevestigen, en op een gegeven moment zei hij tegen me: 'Doctora, maakt u zich maar niet ongerust. Morgen komen we u hier halen en nemen we de middagvlucht naar Bogotá terug.'

Dat stelde me inderdaad gerust. Tot dan toe was alles altijd goed gegaan. Ik herinnerde me een soortgelijke reis in 1997. Samen met Ingrid, die toen nog parlementariër was, reisde ik in een piepklein vliegtuigje naar Puerto Asís, een gemeente in het Zuid-Colombiaanse district Putumayo, vrijwel op de grens met Ecuador. Daar hielden indianen een protestmars in het kader van een staking die al weken duurde zonder dat er iets werd opgelost. Ingrid kwam humanitaire hulp, voedsel, geneesmiddelen en kleding brengen voor de gezinnen die aan de mars deelnamen en al dagenlang de straten van de stad bezet hielden in afwachting van het moment waarop de centrale regering hun eisen inwilligde.

Bij onze landing in Puerto Asís bleek het vliegveld door het leger omsingeld. We kregen maar net de kans om de werklozen te begroeten, de humanitaire hulp te overhandigen en een snelle wandeling door de stad te maken. Toen moesten we alweer terug. Maar het vliegtuigje kreeg op de terugweg panne, en de piloot moest een noodlanding maken op een weiland in de buurt van het vliegveld van Ibagué. Daar kwam een brandweerauto ons ophalen, en uiteindelijk namen we een lijnvlucht naar Bogotá. Om de een of andere reden ging ik ervan uit dat de tocht naar San Vicente goed zou aflopen, net als indertijd onze vlucht naar Puerto Asís. Dat was waarschijnlijk de reden dat de veiligheidschef met zijn opmerking mijn ongerustheid kon wegnemen.

We stapten in het geleende busje zodra alles klaar was. De chauffeur en Ingrid zaten voorin; de Franse journalist, de cameraman en ik gingen op de achterbank zitten. We namen afscheid van onze lijfwachten en van de rest van de groep, en een politieauto uit Florencia begeleidde ons tot aan de rand van de stad. Het moet toen al na enen zijn geweest, en we hadden afgesproken dat we elk uur contact zouden leggen met onze veiligheidseenheid. De weg was goed en bijna verlaten. Heel af en toe kwamen we een motor of een taxi tegen. We reden bij een temperatuur van rond de dertig graden in de schaduw door een mooi savannelandschap. Op zeker moment passeerden we een legerpost, waar Ingrid te horen kreeg dat nergens in het gebied gevochten werd, ook niet op de weg naar San Vicente. Ze waarschuwden haar echter wel dat ze alleen voor eigen risico haar tocht kon voortzetten. We besloten door te rijden. Ongeveer een uur later passeerden we het dorpje Montañitas, waar we stopten om te tanken. We probeerden met onze veiligheidsploeg te overleggen maar kregen geen contact, en zij belden niet naar ons.

We reden met een volle tank door, maar de weg werd steeds verlatener. Aan de hemel zagen we troepen witte en zwarte vogels alsof ze een voorteken waren van wat ons even verderop te wachten stond. We staken een groot aantal bruggen over, en daarbij kwam steeds de verontrustende gedachte bij me op dat een ervan ondermijnd kon zijn, maar die zorg verzweeg ik.

Sinds onze laatste stop waren vijfendertig of veertig minuten verstreken, toen we ineens een recht stuk weg van enkele kilometers lang voor ons zagen. In de verte stonden een paar vrachtwagens en bussen, die aan beide kanten de doorgang blokkeerden. De chauffeur nam gas terug. Ineens kwam er een jongeman in een camouflagepak rennend op ons af. Met zijn geweer op zijn schouder en een *peinilla*[9] aan zijn koppelriem gebaarde hij dat we moesten stoppen. Hij liep naar de linkerkant van het busje en vroeg aan de chauffeur waar we naartoe gingen. We zeiden: naar San Vicente del Caguán, omdat we daar verwacht werden, en of ze ons alsjeblieft wilden doorlaten. Hij antwoordde dat we moesten wachten omdat hij eerst toestemming moest vragen.

De bezwete en opgewonden jongeman rende weer naar de lege bussen. Voor de rest was er niemand te zien. Even later kwam hij zelf terug om te zeggen dat we langzaam moesten doorrijden. Hij liep tot bijna bij de bussen met ons mee en wees aan waar we naar links moesten afslaan. Ineens rook het doordringend naar benzine, een geur die kennelijk afkomstig was van een van de verbrande bussen. Het leek wel of er iets op het punt van ontploffen stond. We reden tussen de bussen door en kwamen in een gedeelte zonder voertuigen terecht waar we enkele geüniformeerde en gewapende mannen zagen die rond ons busje kwamen staan. Ze waren heel gespannen. Op datzelfde moment klonk van heel dichtbij een enorme knal. Een man die vlak naast ons raampje stond, werd kennelijk getroffen, want zijn gezicht was ineens bebloed. We bleven allemaal geschrokken zitten, en de cameraman riep: 'Mijn god!'

Een van de guerrillero's begon wanhopig te schreeuwen: 'Snel! Naar een ziekenhuis!' Ze legden de gewonde in de laadbak van onze bestelwagen. Ook de man die ons gegidst had, stapte in en begon de chauffeur te vertellen waar hij naartoe moest. Hij liet ons van de asfaltweg afslaan en een pad nemen. De gewonde man schreeuwde intussen door. We waren nog geen tien minuten onderweg toen we nog veel meer geparkeerde auto's en een grote groep gewapende, bezwete, zenuwachtige en ongure mannen zagen staan.

Ze lieten ons stoppen. De gewonde werd snel uit de bestelwagen gehaald en in een jeep gelegd, die meteen op topsnelheid vertrok. Direct daarna moesten de cameraman en de Franse journalist uitstappen. Op dat moment kwam iemand met een grof gezicht en bruuske bewegingen naar ons toe die kennelijk de commandant was. Hij liet Ingrid uitstappen, en ze zetten haar in een bestelwagen, die met zijn neus de andere kant op stond.

Ik bleef alleen in het busje achter. De commandant kwam terug en keek me aan. Ik was heel bezorgd en vroeg hem: 'Waar brengen ze haar naartoe?' Zonder iets te zeggen liet hij ook mij uitstappen. Hij zette me in dezelfde bestelwagen als zij maar dan in de laadbak, waar al minstens zes mannen – drie aan elke kant – onder een zeildoek zaten te zwijgen. Bovendien hielden twee anderen de deur stevig vast. Zodra ik aan boord was, vertrok de bestelwagen op topsnelheid over een pad tussen de struiken. Het is heel goed mogelijk dat zij al op de hoogte waren van onze komst. In elk geval wisten ze wat ze deden toen ze Ingrid uit het busje haalden waarin we zaten, en wisten ze heel goed wie ze ontvoerden.

De twee mannen die aan de deur hingen, begonnen te schreeuwen alsof ze dolgelukkig waren. Ze hadden handgranaten bij zich, en ik was bang dat ze die zouden laten vallen, vooral omdat de auto erg hobbelde. Ik was zo bang dat ik tegen de chauffeur riep: 'Hé, u vervoert geen aardappels!' Ik weet niet of hij me verstond, maar hij verminderde wel zijn snelheid iets. Even later bereikten we een andere plaats, waar we opnieuw van voertuig wisselden. Er kwam een andere, oudere commandant naar ons toe die een wat bedaardere indruk maakte. Hij liet ons voor in een andere bestelauto stappen en kwam naast ons zitten.

De andere mannen bleven achter. Wij vervolgden onze weg tot het rustige, vreedzame dorp La Unión Pinilla, waar de dorpelingen in schommelstoelen op hun terras zaten. Iedereen zag ons passeren, maar niemand zei iets. De commandant zette de auto stil en beval ons een winkeltje in te gaan. Dat kwam goed uit, want we moesten naar het toilet.

De winkelier kwam naar ons toe en bood frisdrank aan. We gingen naar het toilet, en toen we terugkamen, brachten ze ons naar een kleine salon. De commandant liet ons daar plaatsnemen en vroeg ons een brief aan onze familie te schrijven om te vertellen dat we ontvoerd waren. Ik trok wit weg, en dat werd nog erger toen hij me een vel papier gaf en vroeg welke schoenmaat ik heb. Op dat ogenblik drong het pas echt tot me door dat we ontvoerd waren, want tot dat moment bestond nog altijd de hoop dat we even later bevrijd zouden worden. Net als de meeste andere Colombianen was ik vertrouwd met de tragedies en het menselijke drama van de gijzelaars, maar dat is iets waarover je hoort zonder dat je het op jezelf betrekt. Tot dat moment had ik nooit gedacht dat het mij zou kunnen overkomen, hoewel mensen in mijn omgeving er wel degelijk het slachtoffer van waren geworden.

Ingrid schreef een brief aan haar ouders en haar zus en legde uit wat ons overkomen was. Vervolgens liet ze mij de brief lezen en draaide ze hem om zodat ik aan de andere kant iets aan mijn moeder kon schrijven. Ik beperkte het tot een korte alinea die ongeveer als volgt luidde:

'Lieve mama,

Ik vertrouw erop dat de gebeurtenissen een reden hebben. Ik ga er ook van uit dat mijn aanwezigheid bij Ingrid te midden van dit absurde conflict op de een of andere manier bijdraagt tot het herstel van het leven in Colombia. Ik hoop dat we elkaar snel terugzien. Je dochter, die innig van je houdt.'

De commandant moest die brief per fax naar het appartement van haar vader sturen.

We werden naar buiten gestuurd en moesten weer in de bestelwagen stappen. Wij tweeën gingen naast de commandant voorin zitten, en in het achterste deel zat een groep gewapende guerrillastrijders. Het begon al laat te worden: tegen vijven. We vertrokken uit het dorp alsof dit de gewoonste zaak van de wereld was. De dorpelingen zaten nog steeds in alle rust in hun schommelstoel, reageerden niet en zagen onze auto passeren zonder ook maar één woord te zeggen. De chauffeur reed snel en de commandant zette muziek op, misschien om de spanning een beetje te verlichten. Wij tweeën bleven zwijgen, en het enige wat de commandant zei, was dat we geen andere keus hadden dan deze ervaring onder ogen te zien.

Op die manier gingen een paar uur voorbij. Het begon al donker te worden. De chauffeur reed ineens van de weg af en kwam op een groot grasland terecht. Twee kilometer verderop dook hij een bosje in, en daar vonden we het guerrillakamp. We moesten uit de auto stappen en werden ontvangen door een vrouwelijke commandant die ons een hand gaf. Ik verbaasde me over de vriendelijkheid van haar begroeting maar ook over de kracht waarmee ze die hand gaf – het leek wel of ze mijn arm uit de kom rukte. De commandant die ons erheen had gebracht en later vertelde dat hij Mocho César[10] heette, liet ons onder de hoede van deze vrouw achter en zei dat hij een paar dagen later zou terugkomen. De vrouwelijke commandant, die Mary Luz heette, had een normaal postuur en grijs haar.

Ze liet ons zien waar we die nacht moesten slapen: een plek die ze het 'ziekenhuis' noemden. Eigenlijk was het een enorme loods of schuur met een dak van palmbladeren maar zonder muren en met een vloer van aangestampte aarde. Daar lagen diverse zieke mannen. Twee bedden in een hoek waren voor ons bestemd en werden door verschillende lege bedden van de rest gescheiden. Vervolgens werden we toegewezen aan een guerrillastrijdster die altijd in onze buurt moest blijven. We vroegen haar of we naar het toilet mochten, en dat werd toegestaan.

Ze riep een andere vrouw, en samen brachten ze ons een meter of dertig verderop, waar tussen de struiken kuilen waren gegraven. Ze boden een afschuwelijke aanblik, want vanwege de kleur van de modder stonden ze vol met een gelige vloeistof. Toen ik aan de beurt was, vroeg ik de bewaakster of ze even verderop wilde gaan staan, omdat ik een maagaandoening had en me erover schaamde. Maar de verandering was zo groot dat ik helemaal niets produceerde. Mijn verblijf daar – met al die modder, al dat gelige water, al die mieren en al die enorme bladeren – maakte diepe indruk op me. Veel planten hadden bovendien doorns, wat onze gevangenschap onderstreepte.

Tijdens de korte wandeling van de latrines naar onze bedden in het 'hospitaal' kwam commandant Mary Luz met twee andere vrouwen naar ons toe. Ze vroeg hoe het ging, en vroeg Ingrid naar haar politieke ideeën. Ingrid begon te vertellen. En intussen kwam een zwarte kat naast de commandant staan die alles leek te verstaan wat ze zeiden. We bleven zo een tijdje praten, en toen brachten ze ons naar de loods. We gingen op het bed zitten en ik staarde naar de aarden vloer. Dicht in de buurt stonden geüniformeerde vrouwen met lang haar. Sommigen waren zwaargebouwd en maakten een intimiderende indruk. Ik zei geen woord en vond het vreemd dat ik hier zou moeten slapen. Een van de vrouwen bracht ons een paar borden met een royale portie witte rijst met een rijpe banaan en een gebakken ei erop. Hoewel we 's morgens en 's middags niets gegeten hadden, vond ik het enorm veel. De vrouw had maar één lepel gebracht, en ik vroeg of ze nog een andere voor mij wilde halen. Ze keek me even zwijgend aan en deed toen wat ik gevraagd had. Ik vond het vreemd om zonder vork rijst te moeten eten.

We proefden nauwelijks wat we aten. Het was vermoedelijk al over zevenen toen de commandant kwam om ons ergens anders naartoe te brengen. Het was een heldere avond en de maan scheen. We liepen een eindje en kwamen in een loods terecht die op de onze leek, maar hier waren als zitplaatsen planken aangebracht. Er stond ook een tv aan, en we hoorden het lawaai van een generator. We gingen aan de ene kant zitten, en vervolgens kwamen allerlei mannen binnen die zich ondanks hun wapens kalm gedroegen. Iedereen zat klaar voor de nieuwsberichten, maar omdat het weekend was, begonnen die later dan anders. De uitzending begon om acht uur. De ontvangst was heel slecht, en hoewel het een kleurentoestel was, zagen we alles alleen in zwart-wit. In het overzicht van het nieuws werd met geen woord over ons gerept. Er was alleen een bericht over Pastrana's bezoek aan San Vicente del Caguán met de mededeling dat de regering de macht in die gemeente weer had overgenomen. Daarna ging de tv uit.

Ze zeiden tegen ons dat we moesten teruggaan naar onze

eigen *caleta*,[11] maar onderweg vroegen we de commandant of we even naast de loods mochten wandelen. Ze gaf toestemming, en wij liepen een eindje de ene en de andere kant op, terwijl we elkaar vertelden wat we vonden van wat we in het nieuws gehoord hadden. We waren erg bezorgd omdat we niet zeker wisten of de andere commandant de fax met onze briefjes naar onze familie had gestuurd. Misschien was de fax niet aangekomen en hadden ze niets gelezen. Het was zwaar om niet te weten hoe het met onze dierbaren ging.

Even later kregen we te horen dat we naar bed moesten. Het zal toen een uur of negen, misschien tien, zijn geweest. Toen we weer in onze caleta stonden, merkten we dat we geen lakens hadden; het bed bestond uit een plank met een heel dun matrasje erop. Over alles heen hing een klamboe, en we besloten om samen in één bed te gaan liggen. Ik durfde me niet te verroeren uit angst voor alles om me heen, voor de duisternis en voor de aanwezigheid van die zieke mannen met hun wapens binnen handbereik.

Er stond een man op wacht die om de zo veel tijd langskwam om ons met zijn lantaarn te beschijnen. Ik deed geen oog dicht, hoewel er niet meer geluiden waren dan die van de nacht. Ineens begon het te regenen. Uiteindelijk viel ik ondanks alles in slaap, maar toen werd ik gewekt door het lawaai van helikopters. Ik hoopte dat het zou blijven regenen, want de regen zou verhinderen dat het leger ons kamp bereikte. Ik kon het tragische lot van Diana Turbay[12] niet van me afzetten en was zo bang dat mijn benen ervan beefden.

Onverwacht verscheen de commandant met de mededeling dat we moesten opstaan, en dat deden we meteen omdat we in onze kleren naar bed waren gegaan. We vertrokken uit het kamp, en ze lieten ons ongeveer een half uur door het dichte bos lopen. Het regende niet, maar alles was zo nat dat mijn sportschoenen meteen kletsnat waren. We trokken in de ganzenpas verder; het was stikdonker en we konden niet zien waar we liepen. Alle guerrillero's waren gewapend en marcheerden met volle bepakking maar ze liepen zo geruisloos dat we hen nauwelijks hoorden. Alleen klonk af en toe de stem van de commandant, die ons op een gegeven moment liet stoppen. We bleven midden in het oerwoud staan en merkten direct dat de vliegen ons kwamen kwellen. Het was uitputtend om daar roerloos te moeten staan. Na een tijdje moesten we onze mars hervatten, en uiteindelijk bereikten we weer het kamp waar we vertrokken waren. Ze lieten ons opnieuw onder onze klamboe naar bed gaan. Het was koud, maar ik zweette, probeerde te achterhalen hoe laat het was en berekende dat het een of twee uur 's nachts moest zijn. Ik was zo uitgeput dat ik meteen in slaap viel. Wat ik had meegemaakt, was te veel geweest voor één dag.

5

De dag erna

De nieuwe dag brak aan, en het eerste wat ik opmerkte, was een sterke benzinelucht. Ergens in de buurt hoorden we op de radio vertellen dat we ontvoerd waren. Er viel een motregen en het was bewolkt. Toen ik met een diep bezorgd hart was opgestaan, vroeg ik de wachtpost verlof om naar het toilet te gaan, en hij bracht me naar de plaats waar we de avond ervoor ook waren geweest. Maar nu kon ik ook het landschap zien: het enorme, welige oerwoud met een uitgestrekte vlakte in de verte. Ik had de indruk dat we ons in de buurt van La Unión Pinilla bevonden. Toen we weer bij onze caleta terug waren, vroeg ik toestemming om buiten te blijven omdat ik misselijk werd van de benzinestank.

Het was donker om me heen maar het regende niet meer en ze lieten zien waar ik kon gaan zitten, namelijk op een paar planken in de buurt van de caleta waar we geslapen hadden. Ik zat er een tijdje in mijn eentje, maar toen kwam er een jonge guerrillero naar me toe. Ik zag tot mijn verbazing dat hij geen geweer bij zich had en alleen een camouflagebroek en een groen hemd droeg. Hij had een lichte huid en een schoon gezicht en maakte een ontspannen indruk. Hij vroeg me hoe ik me voelde. Toen ik 'goed' had gezegd, wilde hij weten of ik die nacht bang was geweest, en ik antwoordde: 'Natuurlijk. Ik heb er helemaal knikkende knieën van gekregen. Voor het eerst in mijn leven was ik bang en voelde ik me zelfs verlamd bij het horen van helikopters boven mijn hoofd.' Hij begon tot mijn verbazing te lachen en zei: 'Dat stelde helemaal niets voor.'

Even later kwam een guerrillameisje vragen of ik iets wilde drinken. Ik antwoordde: 'Sinaasappelsap,' alsof ik nog in de stad was. Even later kwam ze met twee glazen vers mandarijnensap terug. Ze beduidde dat het ene glas voor mij was en het andere voor mijn vriendin. Ik dronk het mijne leeg en dacht nog heel lang aan dat moment terug omdat het een van de bijzonderste momenten van heel mijn gevangenschap was, vooral vanwege de kleur van de vrucht. Op dat moment had ik in mijn naïveteit nog geen flauw idee van wat me te wachten stond, en er gingen verscheidene jaren voorbij zonder dat ik opnieuw een vrucht te ruiken kreeg. En ook nu ik weer vrij ben, geniet ik nog steeds van elk glas sinaasappelsap bij het ontbijt alsof het een van de heerlijkste dingen is die er bestaan.

Het zal een uur of half acht zijn geweest toen Ingrid uit de caleta tevoorschijn kwam. Ik vond haar broodmager. Ze liep met een verraste blik naar de plaats waar ik zat, en begroette me. Ik vroeg hoe ze wakker was geworden, en zij antwoordde dat ze de hele nacht gehuild had. Het klonk alsof ze eigenlijk geen zin had om te praten. Ik zei dat ze kennelijk heel stiekem had gehuild, want ik had niets gehoord, maar het was waar dat ze keek alsof ze de hele nacht geen oog had dichtgedaan. Ze ging naast me op de bank zitten. Ik bood haar het mandarijnensap aan dat ze gebracht hadden, en vertelde dat ik het nieuws had gehoord. Het bericht over onze ontvoering had zelfs de *Washington Post* gehaald, aldus de radio. Daarna deden we er allebei het zwijgen toe, want wat er allemaal met ons gebeurde, was nauwelijks te verwerken.

We gingen naar het toilet en vroegen op de terugweg aan de

wachtpost of we een beetje door het kamp mochten lopen om vertrouwd te raken met de omgeving. In een van de caleta's hing een stuk weefsel van gevlochten koord aan een weefgetouw. Het leek op parachutestof maar was vermoedelijk een visnet. Verderop zagen we verplaatsbare stoelen met tandartsengereedschap en daarachter een soort kiosk voor de uitgifte van aardappels, bananen en groenten. In het kamp heette zoiets een *economato*. Daarnaast stonden een paar op benzine werkende fornuizen en een emmer water. We liepen door en kwamen bij de caleta van commandant Mary Luz. Je kon zien dat daar iemand met gezag verbleef, want achterin bevonden zich een slaapkamer en zelfs een wachtkamer met een koelkast. Ook hier lag een aarden vloer, maar dit was het beste onderdak dat we in het kamp gezien hadden. En wie schetst onze verbazing toen bleek dat er een guerrillastrijdster haar teennagels aan het verzorgen was! Ik wist niet wat ik zag, want ik had nooit verwacht dat ik op de eerste ochtend van mijn ontvoering in een soort schoonheidssalon zou staan waar onze ruige commandant zich liet pedicuren. Hierbinnen heerste een kalme en ontspannen sfeer die niets te maken had met wat we de dag ervoor hadden beleefd. We vroegen haar wat we moesten doen om te kunnen baden, en zij zei dat we een paar uur moesten wachten, want dan was het bad vrij. Ingrid maakte van de gelegenheid gebruik om haar een plastic matje te vragen waarop ze haar gymnastiekoefeningen kon doen, en vroeg ook om een schaakspel.

We maakten een kleine wandeling en liepen naar onze caleta terug, waar ze een kop pikzwarte chocolade voor ons hadden achtergelaten. Ik proefde ervan en zei niets, maar vond het brouwsel afschuwelijk – heel anders dan de echte, warme en schuimige chocolademelk waaraan ik gewend was. Deze versie was dik en walgelijk bitter.

Ik ging in de caleta zitten en keek omhoog. Het was een grijze dag en overal in de omgeving was het donker. Daarom rekte ik me uit en probeerde me een beetje te ontspannen. Ik voelde me niet bij machte om iets te zeggen en begreep ook maar nauwelijks wat er aan het gebeuren was.

Een tijd later kregen we te horen dat we ons moesten klaarmaken voor het bad, maar omdat we niets bij ons hadden, viel dat niet mee. Ze brachten ons twee handdoeken en leidden ons naar een betonnen waterbassin, waaruit we met een blik het water konden halen. Ik wist niet waar ik mijn kleren moest laten, en hing ze aan een tak. Vervolgens gingen we op een plank staan om niet onder de modder te raken en kleedden ons snel uit. Het water was ijskoud, en zeep was er bijna niet. Ik had me in een paar tellen afgespoeld en aangekleed. Het was een bliksembad geweest, maar ik voelde me herboren. We liepen naar de caleta terug, want daar had ik een borstel in mijn tas, en ik verzorgde me in alle rust. Er was al een halve dag voorbijgegaan voordat ze ons een middagmaal kwamen brengen, bestaande uit een spies van koud en taai vlees en een paar tomaten.

We zaten de hele middag in de caleta maar hadden niets speciaals te doen. Toen het donker begon te worden, brachten ze ons een zak brood en *agua de panela*,[13] en na het mandarijnensap vond ik dat het lekkerste van die dag, hoewel het mierzoet was. Mettertijd kwam ik erachter dat de dranken in het oerwoud altijd heel zoet en geconcentreerd zijn omdat ze veel energie moeten geven.

Voordat het acht uur 's avonds werd, kwamen ze ons halen om naar het nieuws te kijken. Dat begon met een overzicht waarin bevestigd werd dat we ontvoerd waren door een eenheid van FARC-front 15 onder leiding van commandant Joaquín Gómez.[14] Toen we dat nieuws gehoord hadden, begonnen alle aanwezige guerrillero's – zo'n twintig mensen – te springen en te schreeuwen. Hun blijdschap over onze ontvoering was verbijsterend, en ik kon geen woord uitbrengen.

Na afloop van het nieuws brachten ze ons weer naar de caleta terug. Ik kon geen woord uitbrengen. Het was een verschrikkelijke klap geweest om onze ontvoering als een voldongen feit op de tv te horen vermelden en te zien hoe heerlijk de guerrillero's het vonden. Ik ging in bed liggen en herhaalde inwendig: 'Mijn god, ik ben ontvoerd, ja, ik ben ontvoerd!' De tranen liepen me over de wangen. Ik was uitgeput, en buiten was het stikdonker. Ik sloot mijn ogen en hoopte dat de slaap me snel zou overmannen.

Als ik tegenwoordig aan die dag terugdenk, probeer ik me te herinneren wat er toen door ons heen ging, maar dat lukt niet. Ik kan me ook geen speciale gesprekken met Ingrid herinneren. De harde werkelijkheid waarin we ondergedompeld waren, was ongetwijfeld sterker dan ons vermogen tot contact.

6

Het oerwoud

Omdat ik altijd in de stad had gewoond, was het een enorme schok om in een zo woeste omgeving gevangen te zitten. Ik was altijd door begroeiing omringd en werd er bijna door opgeslokt. En een schok bleef het, hoewel ik me al sinds mijn vroegste jeugd verbonden had gevoeld met alles wat met ecologie en milieubescherming te maken had. Maar liefde voor de natuur is iets heel anders dan erdoor verslonden worden. Tijdens onze mislukte vluchtpogingen ontdekten we al heel gauw dat het oerwoud onze kerker was, en elk initiatief om daaraan te ontsnappen was tot mislukken gedoemd.

In het oerwoud leef je altijd in de schaduw. Het zonlicht bereikt je nooit rechtstreeks maar wordt altijd gefilterd door het dichte bladerdak van gigantische bomen, die zo hoog kunnen worden als een gebouw van zes of zeven verdiepingen. De guerrillero's bouwen hun kampen bovendien altijd op de dichtst begroeide plaatsen van het oerwoud om te verhinderen dat ze door de vliegtuigen van het leger ontdekt worden. Door het gebrek aan zonlicht wordt je huid bleek en krijg je op den duur oogproblemen. Het oerwoud heeft een eigen kleur – duizend tinten groen – en ook een eigen geur: die van vocht en begroeiing. Ook de mensen gaan daarnaar ruiken.

Het oerwoud is een ongezonde omgeving waar het overdag

drukkend en verstikkend heet is. Alle lichamelijke inspanningen, zoals de ellenlange marsen waartoe we gedwongen waren,
werden daardoor veel zwaarder. Rond een uur of drie 's nachts
daalde de temperatuur ineens sterk. Alleen op die manier kon
ik vaststellen hoe laat het was, want ze hadden onze horloges
afgenomen. Als plotseling een felle kou mijn slaapplaats bin-
nendrong, wist ik dat het rond drie uur was.

Het leven in het oerwoud heeft een vast ritme dat in hoge
mate afhangt van de moeilijkheden en bepalende factoren van
het leven in een zo vijandige omgeving. Elke dag was net als alle
andere. We stonden bij zonsopgang op en gingen naar de latrine, een primitief toilet bestaande uit een kuil in de grond van
een meter diep en een halve meter doorsnee. Daar deden we
onze behoeften, en het resultaat werd met aarde bedekt. Vervolgens knapten we ons op, en rond zes uur 's ochtends kregen
we een warme *tinto*[15] met ruwe suiker. Als we die hadden opge-
dronken, brak vaak het moment aan waarop we al onze spullen moesten pakken om op weg te gaan.

In die eerste fase van onze gevangenschap hielden ze ons
voortdurend in beweging – het kwam maar zelden voor dat we
een paar weken op één plaats bleven. Ze brachten ons steeds
dieper het oerwoud in om te verhinderen dat het leger ons
spoor volgde en ons zou bevrijden. Bijna elke dag moesten we
ons verplaatsen. Dat gebeurde met uitputtende dagmarsen of
anders per boot. In dat laatste geval moesten we ons hoofd
diep buigen en kregen we een stuk plastic over ons heen. Zo
werd voorkomen dat iemand ons zag. We leidden een noma-
disch leven en moesten altijd klaar zijn om onmiddellijk te
kunnen vertrekken. Onze bepakking was altijd vol, want elk
moment kon het sein komen dat we moesten doorlopen. Tijdens die marsen hadden we allebei ons huis op onze rug en

droegen we onze eigen eerste levensbehoeften, waaronder een hangmat van militair zeildoek, een klamboe en een zeildoeken tentje dat we opzetten als een dakje om ons tegen de regen te beschermen. Andere keren sliepen we op palmbladeren als dieren op de grond.

We mochten een keer op een muilezel zitten omdat de tocht zwaar en moeilijk ging worden, maar ze schenen maar één zadel te hebben. De guerrillero's vroegen me of ik zonder zadel kon rijden. Ik zei dat ik het kon proberen, en dat deed ik inderdaad de zeven of acht uur dat de mars duurde. Toen ik van het dier afstapte, viel ik van uitputting op de grond. Ik was doodmoe en stonk naar de muilezel, waarmee ik bovendien het water moest delen omdat er maar heel weinig van was. Het was een afmattende maar prettige tocht, vooral toen de avond begon te vallen. We klommen toen namelijk naar een bergtop vanwaar we een deel van de vlakte konden zien. Het landschap was schitterend. De kleur van de zon aan de wolkenloze blauwe hemel gaf een grote stroom energie ondanks de pijn aan mijn benen die zo ongeveer volledig ontveld waren. Later ontdekte ik dat ze wel degelijk een tweede zadel hadden maar het me niet hadden willen geven uit angst voor ontsnapping. En het klopt dat ik onder het rijden overwoog of ontsnappen mogelijk was. Ik had de indruk dat de weg die we namen, naar de bewoonde wereld liep. Maar ik hield me in, want ik was omringd door minstens een dozijn guerrillastrijders die weliswaar te voet waren maar ook wapens hadden. Daarom zette ik het idee van me af.

De twee commandanten die ons hadden ontvangen, Mocho César en Mary Luz, bleven algauw achter. Later ontdekten we dat Mocho in oktober van dat jaar door het leger gedood was tijdens een poging om ons te bereiken. Mary Luz werd jaren later in de buurt van San Vicente del Caguán gevangengenomen.

Een paar dagen later waren nieuwe commandanten benoemd en was een nieuwe eenheid gevormd om ons te bewaken. Daarmee begon een echte zwerftocht door het oerwoud. Elke dag liepen we totdat het bijna avond was. Dan pas stopten we om ons kamp voor de nacht op te slaan. Een paar guerrillero's maakten een klein stuk grond vrij van struikgewas, verwijderden wat onkruid, sneden wat palmtakken en -bladeren af waarmee ze een soort hut bouwden, en sloegen een paar paaltjes in de grond om de jasjes en tassen op te hangen. Maar soms was er zelfs geen tijd voor zo'n elementaire voorziening. Dan beperkten we ons tot de bevestiging van de hangmat en gingen we als bescherming tegen de insecten onder de klamboe liggen. Ons tentje was dan de enige bescherming tegen weer en wind. Eigenlijk sliep ik het liefst op de grond, al was het maar in een hutje van palmbladeren, omdat de hangmat heel smal en ongerieflijk was, maar het kon vaak niet vanwege de aanwezigheid van dieren of omdat alles kletsnat was. Slapen op een bed van planken, zoals we deden als we verscheidene dagen achtereen in een kamp verbleven, was een echte luxe. Zodra onze slaapplaats eenmaal op orde was, ging ik me wassen. Als zich de gelegenheid voordeed, deed ik dat in een rivier, maar meestal moest het *a totumadas*, zoals de Colombianen zeggen. Dan gooide ik water uit een emmer over me heen, meestal met de metalen gamel waaruit we ook aten. Ik maakte daar tevens gebruik van om de kleren te wassen die ik aan had. Dat waren militaire, camouflage-groene kledingstukken die ze ons meteen na de ontvoering hadden gegeven en die na een hele dag lopen kletsnat waren van het zweet. Ik hing ze op om te drogen en ging dan in een droge verschoning slapen. Maar het gebeurde vaak dat de kleren bij zonsopgang nog vochtig waren, en dan moest ik ze toch aantrekken. Als de wasbeurt achter de rug was, at ik iets en sliep ik uitgeput totdat de volgende dag de zon opging.

Het was werkelijk een gedwongen onderdompeling in een woeste en ongastvrije omgeving, want een tropisch regenwoud is heel dicht, nat, warm en verstikkend. De kleirijke grond is doorweekt en de kleur ervan varieert tussen tinten geel en koffiebruin. Dat is het rijk van de modder ofwel de *chuquio*, zoals ze die daar noemen.

Het wemelt er van alle mogelijke soorten vogels, zoogdieren, reptielen en amfibieën. Er zijn ook insecten in allerlei soorten, maten, vormen en kleuren: piepkleine spinnetjes, enorme bruine, zwarte en soms rossige schorpioenen, mieren in alle maten – van heel kleine tot de enorme kruipers die hun prooi levend kunnen verslinden, vliegende kakkerlakken, muskieten, muggen, bijen, wespen, hommels, enzovoort. Kortom, een hele sortering beesten waarvoor je altijd op je hoede moet zijn.

Ik moet bekennen dat ik er doodsbang voor was. Ik was te zeer een stedeling, en dat was te merken. Elke dag probeerde ik goedgemutst op te staan en mijn armen omhoog te steken om mijn dankbaarheid te uiten voor het feit dat ik nog leefde, en voor al het moois dat er ondanks alles in zo'n omgeving was. Maar als we dan weer verder moesten trekken door dat verschrikkelijk dichte oerwoud en over dat ongastvrije terrein, dan versmolt het zweet op mijn voorhoofd vaak met de tranen uit mijn ogen. Ik voelde me ergens moederziel alleen aan het einde van de wereld.

Het kost me nog steeds moeite om te begrijpen hoe de bewoners van zulke afgelegen streken overleven zonder andere wegen dan rivieren, zonder schepen, zonder aanvoer van voedsel en geneesmiddelen, zonder geschikte kleding of schoenen, zonder welke informatie dan ook (want daar komen geen tv of radio, laat staan kranten), zonder elektrisch licht, zonder de aanvoer van geschikte brandstoffen om eten te koken en zonder andere bouwmaterialen dan hout en natte palmbladeren, die daar gewonnen worden en voortdurend worden opgevreten door kalanders en termieten.

Maar dat dichte oerwoud was onze omgeving, en we hadden geen andere keus dan het ondanks de moeilijkheden en ontberingen zien te overleven.

De eerste keer dat ik een poema zag, zal ik niet gauw vergeten. Het dier was al dood maar maakte evengoed enorme indruk. De commandant die ons in de eerste weken van onze gevangenschap onder zijn hoede had, kwam af en toe op het idee om ons eraan te herinneren dat we midden in het oerwoud zaten. Op een ochtend verscheen hij in het kamp met een bebloede poemakop. Aan de afmetingen was te zien dat het een groot dier was geweest. En een tijd later droeg hij ineens een halsketting van de tanden die hij uit de kaken van dat roofdier had gehaald.

Ik moet zeggen dat ik me in de loop van de maanden aan het leven in die omgeving begon aan te passen, hoewel ik er altijd door dieren beloerd werd. Ik had me een keer aan het begin van de avond net aangekleed na een bad in de rivier – in de eerste fase van onze gevangenschap mochten we nog in de rivier baden – toen ik ineens een enorme schreeuw hoorde, gevolgd door het lawaai van guerrillero's die kennelijk aan het worstelen waren. Ze maakten zo veel herrie dat ik me afvroeg wat er aan de hand was.

Op dat moment zag ik een stel guerrillero's een enorme slang voortslepen. Het was een geel dier van ongeveer zes meter lang met bruine strepen en had een doorsnee van zeker vijftig centimeter. Het werd door diverse mannen gedragen, en die hadden er nog steeds de grootste moeite mee. Ze moesten het in stukken hakken alsof het een boomstam was. Onwillekeurig bedacht ik dat de huid meer dan één prachtige tas zou opleveren.

En de commandant zei op zijn bekende bruuske wijze tegen mij dat ik niet meer in de rivier mocht zwemmen: 'Voor zulke slangen ben je hoogstens een hapje.'

Ik antwoordde schertsend (hoewel hem dat niet erg aanstond, geloof ik): 'Maar jij bent een stuk dikker. Als hij jou opvreet, heeft hij er een volle maaltijd aan. Nietwaar?' Zoals te verwachten was, werd mijn verlof om in de rivier te baden een paar dagen later ingetrokken.

Er waren ook kleinere dieren waarvan we erg schrokken, zoals toen ik op een ochtend mijn laarzen wilde aantrekken. Mijn ouders hadden me gelukkig geleerd om schoenen – vooral laarzen en sportschoenen – in warme gebieden eerst om te draaien en ermee te schudden, omdat ze een favoriete schuilplaats voor spinnen en schorpioenen zijn. Die lessen uit mijn jeugd hadden veel indruk op me gemaakt, en ik houd me er nog steeds aan. Dat deed ik dus ook die ochtend toen ik er mijn voet in wilde zetten. Tot mijn schrik kroop een koffiebruine vogelspin van een centimeter of twintig mijn laars uit. Ik herinner me zijn scharen nog heel goed. Ik smeet mijn laars op de grond en bleef stokstijf staan totdat het beest weg was. Ik was vreselijk geschrokken, juist omdat er in de wijde omtrek nog geen aspirientje tegen de pijn, laat staan een tegengif te vinden was.

De mieren waren een geval apart. Toen we ons een keer aan het klaarmaken waren voor de nacht en ik de hangmat in de tent had gehangen – dat was in de tijd dat we bij een andere groep gevangenen waren gezet – hoorde ik ineens een geknars op de grond. Ik klom de hangmat uit en schreeuwde: 'Mijn god!' Want er drong tot me door dat overal op de grond immense mieren van wel drie centimeter lang rondliepen. Waar ik ook keek, overal waren ze. Ik had geen lantaarn of aansteker en begon in mijn wanhoop als een krankzinnige te roepen, maar geen van mijn metgezellen deed of zei iets, misschien uit angst dat de guerrillero's het voor een oproer aanzagen. Dat zeiden ze de volgende dag tenminste. Diep in mijn hart was ik ervan overtuigd dat ze door hun vermoeidheid geen reflexen en ook geen belangstelling meer hadden. Ik schreeuwde wanhopig door totdat eindelijk een wachtpost kwam. Met zijn lantaarn in de hand en zijn geweer aan de schouder snauwde hij: 'Clara, hou je gemak! De mieren lopen door. Ga gewoon aan de kant en wees stil!' Maar mijn slaapplaats bevond zich aan de rand van een afgrond op minstens vijftien meter van de rivier en het was zo donker dat ik niet wist waar ik naartoe moest. Ik vroeg water om ze te verdrinken, maar dat was er niet. Ik zei dat hij me dan maar moest bijlichten en haalde mijn verdedigingswapens uit mijn tas: talkpoeder om de grond te bestrooien en tandpasta om het touw van de hangmat in te smeren. Vanwege het talkpoeder verspreidden ze zich, en ze moesten er ongetwijfeld van hoesten, want ik leegde het hele potje. Toen hij de lantaarn aanstak, kon ik ze goed zien: het waren enorme beesten, en ik had geen schoenen aan! Die nacht durfde ik niet meer in mijn hangmat te gaan liggen uit angst dat ze naar boven zouden klimmen. De volgende dag zag ik wat ze met de kleren hadden gedaan die ik bij de tent aan het touw had gehangen: ze zaten vol gaten, en ik kon ze alleen maar weggooien, zodat ik geen reservekleren meer had. En ook de tent moest worden opgelapt. Ik gaf die beesten de naam 'kruipmieren'. Ze vielen me ook bij andere gelegenheden aan, maar toen had ik er al genoeg ervaring mee opgedaan om te weten wat ik doen moest.

Het is vreemd, maar gisteren ging ik met mijn zoon Emmanuel naar een soort kinderopera, waarin de hoofdrolspelers in een betoverd woud stinkende rivieren moesten oversteken. Het was ongelooflijk: wat in dat verhaal een gefantaseerd verzinsel was, was in het oerwoud levensecht. Hij en ik komen uit datzelfde donkere en ongastvrije woud.

7

De nacht

Tijdens een gevangenschap in het oerwoud is de nacht niet alleen de tijd zonder daglicht maar ook de tijd waarin angst, moedeloosheid, verdriet en melancholie bovenkomen. 's Nachts word je met jezelf geconfronteerd en ben je moe en eenzaam. Je staat tegenover een complex van emoties en gedachten die allemaal je aandacht opeisen.

In het oerwoud wordt het om half zeven 's avonds donker, en dat verloopt in fasen. Eerst is er veel lawaai omdat de cicaden, krekels, glimwormen, padden en talloze andere dieren met het lawaai van een snelweg acte de présence geven. Rond zeven uur neemt het kabaal af en is het zo donker dat je niet eens de vingers van je eigen hand kunt zien. Van acht uur 's avonds tot twee uur 's nachts is het de fase van de stilte en van twee uur tot zonsopgang die van de kou.

Al mijn nachten van zes jaar opsluiting leken een eeuwigheid te duren en betekenden samen duizenden uren vol angst, eenzaamheid, verwarring en triestheid. Het leed was letterlijk niet te beschrijven, en werd zo mogelijk nog erger door mijn slapeloosheid uit angst voor dieren, militair ingrijpen, regen of wind. En natuurlijk ook door de existentiële angst die ik net zo voelde als ieder ander.

Vooral nachten met maanlicht waren een intense ervaring,

met name omdat we zo ongeveer in de buitenlucht sliepen. Iedereen weet dat de maan heel felle, aan een delirium grenzende emoties wekt en alle gevoelens versterkt. Ongeveer een maand na onze ontvoering maakte ik zo'n nacht mee. Zodra ik de maan zag, besloot ik buiten de caleta op een bank te gaan zitten om naar de hemel te kijken. Ik maakte me veel zorgen omdat we de avond erna wilden vluchten, en ik vreesde voor ons leven. Die nacht bleef ik de hele tijd naar de maan zitten kijken, en ik zei tegen mezelf: 'Dit is waanzin. Moge God ons beschermen.'

Tijdens mijn zwangerschap beleefde ik opnieuw zo'n nacht. Ik was toen een maand of zes zwanger en ging onder een enorme angst gebukt. Mijn ziel kon er niet meer tegenop. Ik verliet het schamele onderkomen dat me was toegewezen, en bleef de hele nacht op een stoel naar de hemel kijken. In de loop van de tijd werd ik praktischer en probeerde ik slapeloze nachten in mijn hangmat door te brengen. Op die manier had ik het in elk geval niet zo koud.

Wat een contrast met de nachten die ik tegenwoordig in vrijheid doorbreng! Ik ben verbaasd als mensen me vragen of ik goed slaap. Natúúrlijk slaap ik goed! In vrijheid is alles blijdschap, maar tijdens mijn gevangenschap werd de nacht een extra last, die voortdurend moeilijk onder ogen te zien en te verdragen was.

8

De guerrillero's

Net als bijna ieder ander die in Colombia of elders woont, kende ik de FARC tot aan mijn ontvoering alleen uit de media. De guerrillero's worden vanwege de barbaarsheden waartoe ze in staat zijn en vanwege hun banden met de drugshandel meestal afgeschilderd als vreselijke, gevaarlijke en ronduit walgelijke mensen.

Ik had niet vaak iets over hun ideologische strijd gehoord, behalve dan dat ik een paar artikelen had gelezen van journalisten die belangstelling hadden voor hoge guerrillaleiders zoals Manuel Marulanda,[16] die het militaire apparaat leidde, en Jacobo Arenas,[17] die verantwoordelijk was voor de ideologie. Ik had ook een paar boeken gelezen over de pogingen tot vrede die in de jaren tachtig ondernomen waren, en hoe de verstandhouding tussen de opstandelingen en de verschillende regeringen geweest was tijdens de paar momenten dat van onderhandelingen sprake was. Het laatste, eveneens mislukte vredesproces en de stichting van de gedemilitariseerde zone (1998-2002) had ik van iets dichterbij meegemaakt.

Ik moet dus erkennen dat ik van het eerste tot bijna het laatste moment vooringenomen was en weinig sympathie voor hen koesterde. En ik heb de indruk dat dit gevoel wederzijds was vanwege mijn onafhankelijke karakter, mijn intellectuele achtergrond en mijn liefde voor mijn land, mijn familie en mijn dierbaren.

Maar hoe dan ook, we hadden maar heel weinig contact met hen, en voor zover het plaatsvond, gebeurde het via tussenpersonen en bewakers, die eigenlijk gewone guerrillastrijders van het platteland en vaak van indiaanse afkomst waren. Velen van hen kwamen uit het zuiden van het land. Ze beperkten zich ertoe om ons te bewaken, ons te eten te geven en aan onze basisbehoeften te voldoen. We praatten maar zelden met hen. Vaak waren het dynamische maar ongeletterde jongeren tussen de achttien en vijfendertig jaar met een grondige militaire opleiding en veel militaire discipline maar met weinig algemene ontwikkeling en geen enkele kennis van het land, de wereld of de beschaving.

Het zijn bovendien mensen met weinig familiebanden en zonder enig gevoel van saamhorigheid met het land of de samenleving als geheel. Sommigen waren zelfs nog geen achttien. Ik vond het diep triest om jongens en meisjes met een geweer aan hun schouder te zien. Ze hakten hout, droegen lasten, liepen absurde wachtdiensten, kregen nauwelijks medische hulp, kregen weinig te eten en ontvingen alleen af en toe wat kleren en toiletspullen. Het enige onderwijs dat ze kregen, noemden ze zelf *formación fariana*. Het werd alleen door de FARC gegeven en bestond uiteraard voor een groot deel uit indoctrinatie.

Ze kregen te horen en moesten geloven dat de FARC hun enig mogelijk bestaan en hun enig mogelijke toekomst was, vooral als ze zich al op jonge leeftijd hadden aangesloten en binnen de guerrillabeweging volwassen waren geworden. Ze zijn redelijk intelligent en vooral schrander genoeg om het oerwoud te kunnen overleven. In elk geval hebben ze een overvloed aan *malicia indígena* ('inheemse listen'). En dat verklaart voor een deel waarom hun superieuren mislukken bij de vredesprocessen: ze slagen er niet in om bij de andere partij ook maar enig vertrouwen te wekken, zodat de onderhandelingen in het slop raken.

Verschillende keren is me gevraagd of ik diepgaande gesprekken heb kunnen voeren met leden van het FARC-secretariaat[18] of Manuel Marulanda zelf. Het antwoord luidt nee, want met de weinige secretariaatsleden die ik tijdens mijn gevangenschap getroffen heb, heb ik nooit meer dan een paar woorden kunnen wisselen. Tot een echte uitwisseling van ideeën is het nooit gekomen. Op de plaatsen waar we gevangen zijn gehouden, kwam Marulanda nooit, en niemand heeft ooit gezegd dat hij van plan was om met ons te komen praten.

Slechts bij één gelegenheid liet hij iets van zich horen. Dat was in het eerste jaar van onze gevangenschap. Mocho César kwam toen met een bericht van hem waarin hij ons de groeten deed. Hij hoopte dat het ondanks alles goed met ons ging, en verzocht ons een kort bericht op te nemen dat de FARC naar onze families en de media konden sturen.

Dat waren de eerste levenstekenen die ze ons lieten geven, en we maakten de opname in mei 2002, diep in het Zuid-Colombiaanse oerwoud, waar we gevangen werden gehouden. Later kregen we te horen dat alles in juli van datzelfde jaar op de tv was uitgezonden. Op die manier kwam mijn familie te weten dat ik nog leefde, want na mijn bevrijding werd iets afschuwelijks duidelijk: Ingrids familie had het bericht dat ik direct na onze ontvoering samen met haar geschreven had, pas maanden later aan de mijne doorgegeven. Ze wilden kennelijk koste wat kost de hoofdrol blijven spelen, en dat ook mijn eigen familie recht op informatie had, was daaraan ondergeschikt. Het was wreed dat ze de paar woorden die ik aan mijn familie had geschreven, pas veel later doorgaven, terwijl die op zulke angstige momenten veel voor hen betekend zouden hebben.

Een jaar later, in mei 2003, toen wij al in een ander kamp zaten en de gouverneur van Antioquia met zijn vredesadviseur en acht soldaten[19] net tijdens een reddingspoging tragisch waren omgekomen, kregen we bezoek van Joaquín Gómez, de verantwoordelijke man van het front in het zuidelijke district Caquetá, onder wiens leiding we ontvoerd waren. Hij wilde een nieuw levensteken van ons hebben, en daartegen verzette ik me niet, want het leek me een kans om mijn familie bericht te sturen – misschien wel het laatste (zoals inderdaad het geval bleek).

In die periode had ik het gevoel dat het leger heel dichtbij was. Ik vreesde dat wij de volgende slachtoffers van een militaire operatie gingen worden, en dat hield ons steeds in angst en spanning. Toen ik jaren later nog maar een paar weken bevrijd was, bevestigde een minister mij dat het leger ons in die periode inderdaad gelokaliseerd had en dat het zich op maar een paar uur had bevonden van de plaats waar we gevangenzaten.

Toen ik Joaquín Gómez uit zijn boot zag stappen, vroeg ik aan de guerrillera die ons eten bracht, wie hij was en waar hij vandaan kwam. Ze vertelde dat hij Joaquín was en uit Guajira kwam. Dat is een departement in het noorden bij de Venezolaanse grens. Terwijl ik in mijn caleta wachtte totdat hij naar me toe kwam, begon het ineens te stinken, en ik dacht: goeie genade, zelfs deze mannen raken in een moeilijke situatie wel eens aan de dunne. Ik moest aan Gabriel García Márquez' boek *De generaal in zijn labyrint* denken, waarin hij een toespeling maakt op de maagproblemen van Simón Bolívar.

Toen Joaquín eindelijk bij mij in de buurt kwam, bleek hij vergezeld te worden door een commandant die Fabián Ramírez[20] heette en zich aan me voorstelde omdat ik hem niet kende.

Het derde lid stelde zich voor als Martín Corea. Ik maakte meteen van de gelegenheid gebruik om Joaquín vriendelijk te begroeten en vroeg: 'Hoe gaat het met je, Joaquín? Hoe is het?' Tot ieders verbazing reageerde hij even vriendelijk: 'Hallo, Clarita.' Daarna begroette hij Ingrid en liep hij door.

Fabián en Martín Corea zeiden dat ik daar moest wachten, en Fabián vroeg verrassend genoeg naar mijn familie. Later begreep ik dat hij dat deed omdat ze een paar levenstekenen van ons los wilden krijgen.

Joaquín kwam even later naar ons tweeën terug, en toen vroeg ik hem – zonder te weten waarom – ineens naar het bloedbad van Bojayá,[21] dat even daarvoor had plaatsgevonden. Ik had er meteen spijt van, want zijn humeur verslechterde zichtbaar, en toen ik hem later waagde te vragen om ons vrij te laten, zei hij kortaf 'nee' zonder ook maar één spier te vertrekken. Dat kurkdroge antwoord kwetste me. Ik trok me in mijn caleta terug onder een voorwendsel dat ik vergeten ben, en begon als een klein meisje ontroostbaar te huilen, zodanig dat zelfs het T-shirt dat ik droeg, nat werd. Joaquín kwam even later afscheid nemen, en ik vroeg hardnekkig: 'Krijg je er niet genoeg van dat je ons in gijzeling moet houden?' Maar hij reageerde niet en liep weg.

Een week later kwam hij met een camera terug. Ze namen eerst mijn eigen boodschap op, en dat was een van de moeilijkste optredens van mijn leven. Fabián Ramírez, die als cameraman fungeerde en het helemaal niet slecht deed, stond recht voor me. Ingrid stond aan de zijkant, Joaquín zat verderop, en achter hem bevonden zich alle guerrillero's van de eenheid die ons bewaakte. Het waren er een stuk of zeventien plus degenen die op bezoek waren. Ze waren allemaal gewapend en keken me strak en zwijgend aan. Toen ik iets ging zeggen, stond Joaquín op om de twee revolvers aan zijn koppelriem recht te hangen. Hij keek er erg ernstig bij. Omdat hij een broodmagere man was en iets kleiner dan ik, zat zijn uniform heel wijd. Het leek wel een film van Cantinflas.[22]

Ik stelde mijn vertrouwen op God, zoals ik altijd doe, en ik weet niet waar ik de kracht vandaan haalde, maar ik zette alles van me af en praatte tien minuten achter elkaar door. De gedachte aan mijn moeder en familie zal me wel geïnspireerd hebben. Ik wilde niets liever dan een bericht sturen, en dat luidde samengevat als volgt: 'Ik hou van jullie en zal van jullie blijven houden. Ik snak er dan ook naar om bij jullie te zijn.' Inderdaad begon ik elke nieuwe dag met een gedachte aan mijn moeder. Ik herinnerde me al haar goede adviezen en de vele heerlijke momenten die ik met haar beleefd had. Dat gaf me de kracht om het oerwoud te overleven.

Een paar weken later – het was toen halverwege 2003 – kwamen we onder de hoede van een ander front, namelijk dat van Jorge Briceño alias Mono Jojoy, een van de belangrijkste leden van het FARC-secretariaat. Onderweg werden we opgevangen door zijn rechterhand, commandant Martín Sombra,[23] die ik nooit zal vergeten omdat hij ons geblinddoekt van de ene plaats naar de andere liet brengen. Ze vervoerden ons in een vrachtwagen terwijl een zakdoek voor onze ogen was gebonden, zodat we niet konden zien waar we naartoe gingen.

Martín Sombra is het schoolvoorbeeld van een voorzichtige, omzichtige en wantrouwige guerrillero. Hij hoorde tot de oude garde van Marquetalia[24] en was een van de weinige trouwe aanhangers die Manuel Marulanda nog had. Voorts was hij ongetwijfeld de absolute vertrouweling van Mono Jojoy en bovendien een ervaren guerrillastrijder, want jarenlang was hij verantwoordelijk voor een enorme groep gijzelaars,[25] bestaande uit achtentwintig soldaten en politiemensen, drie Noord-Amerikanen[26] en een tiental burgers, onder wie parlementariërs, ex-gouverneurs en vier vrouwen (mezelf meegerekend).[27]

Op een gegeven moment bereidde hij zelfs een bezoek van zijn chef Mono Jojoy aan ons kamp voor. Mono Jojoy kwam inderdaad maar praatte voor zover ik weet met geen van de gevangenen en liep alleen voor ons langs. Maanden eerder was ik hem toevallig tegengekomen. Hij begroette ons toen kort en feliciteerde me met mijn levensteken: 'Clara, je komt goed over op de tv.' Ik deed er het zwijgen toe, want ik had niet verwacht dat hij zoiets zou zeggen, en na wat me met Joaquín Gómez was gebeurd, durfde ik niet opnieuw te vragen om ons vrij te laten.

9

Schaamte

Schaamte is een uiting van bescheiden terughoudendheid. Met die houding begon ik aan mijn gevangenschap: met eerlijkheid, opgevat als gevoel voor fatsoen, decorum, redelijkheid en rechtvaardigheid. Bijna vanaf het moment waarop ik me een gevangene voelde, begreep ik dat ik me het beste als zodanig kon gedragen. Dat kwam ook omdat ik zo ben opgevoed.

Die houding handhaafde ik in de eerste plaats tegenover mezelf maar ook tegenover mijn vriendin na mijn besluit om met haar mee te gaan, tegenover mijn land, tegenover de regering en in het algemeen tegenover de staatsinstellingen en mijn medegevangenen.

Ik heb het over eerlijkheid omdat ik tegenover iedereen zonder uitzondering en op elk mogelijk moment mijn gedachten en ook mijn hoop op de vrijheid uitte, hoewel ik het vaak niet met hen eens was. Ze hinderden me soms zelfs of wekten mijn lachlust.

Voorts gedroeg ik me altijd behoedzaam en bescheiden, vooral als het ging om het nieuws, om meningsverschillen of om het verdriet van anderen. Ik probeerde altijd eerst ruimte te scheppen voor begrip en behoedzame overweging voordat ik reageerde.

De uiterst precaire situatie en de eeuwige angst voor een treffen tussen het leger en de guerrillero's, dat hoogstwaarschijnlijk fataal voor ons zou aflopen, maakten de samenleving tussen de gijzelaars heel moeilijk. Spanningen waren onvermijdelijk. Ik wil niet in details treden, want dat is even droevig als zinloos. Het is niet aan mij om te oordelen over de houding van andere gevangenen, en al zeker niet omdat ik die vaak nog altijd onbegrijpelijk vind. Ik waag me niet aan speculaties over wat er door hen heen kan zijn gegaan, want ik kan me best vergissen. Laat ik hier alleen zeggen dat de verhoudingen tussen de gijzelaars tijdens het grootste deel van onze gevangenschap buitengewoon gespannen zijn geweest. Uiteraard had ik net zo veel problemen als de anderen. Ik maakte fouten, en meer dan eens hebben ze me razend gemaakt ondanks het feit dat ik mijn kalmte probeerde te bewaren.

Toch geloof ik dat ik dankzij die houding, die ik met het woord 'schaamte' samenvat, genoeg geloofwaardigheid en respect wist te verwerven. Die hielpen me bij mijn overleving en voorkwamen dat ik naast mijn gevangenschap ook andere problemen kreeg. Door die manier van doen heb ik een rein geweten gekregen, en zo is ook ruimte voor verzoening ontstaan.

10

Vriendschap

Vriendschap is voor mij een essentiële waarde die me sinds mijn vroegste jeugd is bijgebracht. In de eerste plaats denk ik dan aan degene die misschien wel mijn beste vriend is geweest: mijn vader. Tijdens zijn leven hebben we talloze, heel verschillende momenten meegemaakt, en die liggen voor altijd in mijn hart. Hij heeft me van begin af aan het belang van vriendschap bijgebracht. Ik herinner me hem als een goede vriend van zijn vrienden, en diezelfde vrienden raakten op de begrafenis niet uitgepraat over de leegte die zijn dood achterliet. Hij was een respectvolle, opgewekte en onbaatzuchtige man die royaal was met zijn tijd en adviezen.

Dankzij hem begreep ik al heel vroeg dat hij niet alleen mijn vader maar ook mijn vriend wilde zijn, en dat was hij ook. Hij stond voor me open en had tijd voor me. Quality time, heet dat tegenwoordig. Hij voelde zich sterk betrokken bij mijn opvoeding, wetend dat ik het eerste en enige meisje was na vier oudere broers. Ik moest me daar doorheen kunnen slaan, vond hij, en hij bereidde me daarop voor. Nooit deed hij iets om mijn afhankelijkheid van hen te bevorderen, want hij wilde dat ik me op eigen kracht staande hield. In die geest voedde hij me op en steunde hij me totdat ik aan de universiteit afstudeerde. Mijn eerste baantje op een advocatenkantoor maakte hem zielsgelukkig. Elk studiejaar spaarde ik geld voor een reis ergens naartoe, en mijn ouders gaven me ongeveer evenveel geld als wat ik in de loop van het jaar had kunnen wegleggen. Op die manier werkte ik het hele studiejaar en bezocht ik in de vakanties allerlei delen van de wereld.

Vriendschap was vanaf mijn vroegste jeugd een manier om anderen onbaatzuchtig tegemoet te treden zonder er iets voor terug te verwachten. Dat kan alleen als je niet alleen je toewijding maar ook de grenzen daarvan kent. Mijn vader zei daarover: 'Clara Lety' – zo noemden mijn ouders mij, want mijn tweede naam is Leticia – 'ga met je vrienden mee tot het graf maar laat je niet met hen begraven.'

Dat was misschien ook zijn manier om me erop voor te bereiden dat hij ooit zou sterven. Dan mocht ik niet in het verdriet verdrinken, want mijn leven ging door. Toen dat droeve moment kwam, vond ik het heel moeilijk te verdragen. Op het moment van mijn ontvoering was hij nog maar één jaar dood, en mijn verdriet om hem was nog heel vers. Maar alles wat hij me had bijgebracht, kreeg in zijn afwezigheid en bij de herinnering aan hem nog diepere wortels. Daardoor kon ik echt nadenken en de zware beproeving van mijn gevangenschap in het oerwoud onder ogen zien.

Op de dag dat ik besloot met Ingrid mee te gaan, kon ik niet vermoeden dat ik haar daarmee naar onze kerker leidde, en toen ik eenmaal begreep dat we ontvoerd waren, vroeg ik me tijdens mijn lange, slapeloze nachten steeds opnieuw af: hoe ben ik in dit hol beland?

Ik smeekte God om een antwoord, want ik voelde me zoals David in psalm 22: 'Honden hebben mij omsingeld; een vergadering van boosdoeners heeft mij omgeven... Al mijn beenderen zou ik kunnen tellen... Zij delen mijn klederen onder zich. En werpen het lot over mijn gewaad.'

Ik weet niet hoe vaak de mensen gedacht hebben dat we dood waren. Mijn moeder heeft meer dan eens te horen gekregen dat ik was omgekomen, terwijl ik in werkelijkheid nog leefde. Ik vroeg me af wat me naar het hart van het oerwoud had gesleept. Dat was natuurlijk mijn vriendschap geweest, maar ook mijn overtuigingen speelden een rol.

Ik leerde Ingrid kennen toen we allebei op het ministerie van Buitenlandse Handel werkten. De toenmalige minister was tijdens mijn gevangenschap minister van Defensie en leidde in die hoedanigheid operatie-Jaque.[28]

We adviseerden hem allebei op het gebied van het intellectuele eigendom, en hebben het dus aan hem te danken dat we elkaars collega's waren. Ik was nog heel jong en genoot van de mogelijkheid om iets voor mijn land te doen. Dankzij die baan leerden we begrijpen hoe de staatsbureaucratie werkt, en als gevolg daarvan richtten we onze blikken een jaar later op het nationale parlement.

Ingrid kwam op dat idee, en het leek mij interessant om met haar mee te doen en haar bij haar streven te steunen. In die periode kende niemand ons, maar toch vonden we het een uitdaging om ons bij de parlementsverkiezingen namens de Partido Liberal kandidaat te stellen. Ingrid voerde de lijst aan, waarop ik een lagere plaats had, en ze werd met het hoogste aantal stemmen gekozen. Een prestatie en een doorslaand succes!

Daardoor ontstonden sterke vriendschapsbanden. We waren solidair en begrepen elkaar, en dat is jarenlang zo gebleven. We zagen elkaar niet dagelijks, maar af en toe troffen we elkaar om een kop koffie te drinken, 's middags een hapje te eten of samen naar onze ouders te gaan. Door al die momenten werd onze vriendschap bevestigd en hernieuwd. Het verbaasde me dan ook niet dat ze me begin 2001 belde om een afspraak te maken, waarna ze vertelde dat ze uit de senaat wilde stappen om aan de race om het presidentschap te beginnen. Het leek me een logische stap, hoewel ze hard zou moeten werken om haar doel te bereiken. Ze nodigde me ook uit om deel te nemen aan haar campagne, en toen ik daar een paar maanden over had nagedacht, allerlei privézaken had geregeld en een al geplande reis naar Londen had ondernomen, sloot ik me op 1 september 2001 als kabinetschef bij haar campagne aan.

Mijn komst viel samen met die van anderen. Samen wisten we een goede sfeer te scheppen en vormden we een echt team. Daarna coördineerden we een aantal activiteiten en evenementen die heel stimulerend bleken te zijn, want de mensen reageerden er heel positief op en we groeiden snel. Dat duurde helaas niet lang, want veel deelnemers aan de campagne wilden op een lijst staan voor het parlement, en toen tot hen doordrong dat het niet daarom ging maar om Ingrids kandidatuur voor het presidentschap, namen ze ijlings de benen. Dat gebeurde vlak voor onze ontvoering en droeg ertoe bij dat we het in de dagen voorafgaand aan onze reis naar San Vicente del Caguán extra zwaar hadden. Ik kreeg de taak om de campagne te leiden maar moest ook de financiën in het oog houden zonder de politieke kwesties te verwaarlozen. Ik werd een soort manusje-van-alles, en dat kan verklaren waarom ik die dag op het vliegveld van Florencia stond: ik was daar omdat ik Ingrid niet alleen wilde laten.

11

De vlucht

Het was, geloof ik, Simón Bolívar, de bevrijder van Colombia, die zei: als iemand hevig naar de vrijheid snakt, zal hij die uiteindelijk bereiken.

Op de dag na onze ontvoering vroegen we de guerrillero's om een stuk plastic voor onze gymnastiekoefeningen en om een schaakspel om de tijd te doden. Een paar dagen later kregen we die twee dingen inderdaad, en toen bedachten we er algauw ook een andere functie voor: het zwarte stuk plastic kon als regenjas en camouflage tijdens een nachtelijke vlucht dienen. En al schakend schiepen we een kleine ruimte waarin onze bewakers ons niet zo scherp in het oog hielden, omdat ze dachten dat we door het spel waren afgeleid. Terwijl we net deden of we ons op de schaakstukken concentreerden, bedachten en ontwikkelden we ons vluchtplan en vulden we de details in.

We waren nog geen drie dagen ontvoerd of we begonnen al aan vluchten te denken en we beloofden elkaar samen te ontsnappen zodra de kans zich voordeed. Als we er goed over hadden nagedacht, zouden we geweten hebben dat dit echte waanzin was, want onze bewakers waren tot de tanden gewapend en verloren ons geen moment uit het oog. Ze waren in feite heel blij met ons als gevangenen, want binnen de gewapende beweging gaf dat een zeker prestige.

De eerste weken brachten ze ons bijna dagelijks van de ene plek naar de andere. Elke nieuwe dag werd door dezelfde routine beheerst: we stonden op zodra ook de zon op was, verzamelden onze weinige bezittingen en liepen vrijwel de hele dag. Vlak voordat de avond viel, bereikten we de plaats waar we overnachtten. Bij onze aankomst moesten de guerrillero's niet alleen voor ons maar ook voor zichzelf een klein kamp opslaan en voedsel aanvoeren. Vervolgens moesten ze een plaats vinden waar ze water konden halen, en een vuur maken om te koken. Ze waren op dat moment moe van een lange mars met hun bepakking en wapens op hun rug. Het moment van aankomst in een nieuwe omgeving, als ze alles aan het organiseren waren, leek ons dan ook ideaal voor een vlucht.

Ongeveer een week na onze ontvoering kwamen we aan op een plaats die tamelijk dicht in de buurt lag van een weg die we onderweg gezien hadden. Het was toen een uur of half zeven. De avond begon al te vallen, en we besloten onze vlucht te wagen. Maar net toen we ons kamp wilden verlaten, stuitten we op een bewaker, en toen durfden we niet verder te gaan. We vroegen hem waar de latrine was, en daar gingen we heen. Het was hoe dan ook een stikdonkere avond. We konden niet eens elkaar zien, en vluchten zou ons dus waarschijnlijk nooit gelukt zijn. We gingen naar onze slaapplaats terug en besloten de details van ons plan nauwkeuriger uit te werken. Het belangrijkste was dat we een manier bedachten om elkaar in het donker niet kwijt te raken. We moesten immers in een doodse stilte door de nacht lopen.

We maakten een lijstje van dingen die we nodig hadden: een touw dat we aan onze twee ceintuurs gingen binden om bij elkaar te blijven, een paar plastic tassen voor minstens één stel droog ondergoed, genoeg voedsel om het een paar dagen vol te kunnen houden, de weinige toiletspullen die we hadden (zeep, tandenborstel en tandpasta), een extra touw om een vlot te kunnen maken of een paar stokken aan elkaar te binden zodat ze bleven drijven, een lantaarn en wat batterijen.

We wisten dat de guerrillero's ons elk uur of elke twee uur kwamen controleren. Daarom wilden we twee pakketten in onze slaapplaats leggen om minstens tot zonsopgang de schijn te wekken dat we sliepen, want dan waren we al zo'n negen of tien uur weg voordat ze onze vlucht ontdekten en aan een speurtocht zouden beginnen. We besloten te verdwijnen in de olijfgroene uniformen die ze ons als verschoning gegeven hadden, en onze spijkerbroeken vol papier in ons bed te leggen, zodat ze op een lichaam leken. We wilden onze laarzen naast het bed zetten zodat niemand onze vlucht vermoedde, en zelf de sportschoenen aantrekken die we op de dag van onze ontvoering droegen.

Na een gevangenschap van een maand achtten we ons eindelijk klaar voor het grote moment. We hadden ons kunnen voorzien van een touw, een lantaarn, reservebatterijen, drie broodjes per persoon, zelfs een kaas die we gekregen hadden – de enige die we tijdens onze gevangenschap gezien hadden – plastic tassen voor schoon ondergoed, kousen, een T-shirt dat als handdoek kon dienen, een paar touwtjes om de tassen dicht te binden en twee lege plastic flesjes die we onderweg met water wilden vullen. Zo hadden we dat ook de guerrillero's zien doen: ze namen normaal gesproken geen drinken mee maar zochten onderweg plaatsen waar water beschikbaar was.

Met de riem van onze spijkerbroeken bonden we de tassen op onze rug. Nu ontbrak alleen nog een kapmes om ons een weg te banen door de groene chaos van het oerwoud. Ik zag er niets in om gewoon een kapmes van een guerrillero af te pakken, want als ze ons ontdekten, was alles verloren. Maar Ingrid hield vol dat het onmisbaar was, en nam zelf de taak op zich om het op een heel stoutmoedige en brutale manier te pakken te krijgen: na terugkeer van het baden vroeg ze verlof om naar de loods te gaan waar het eten werd klaargemaakt. Toen de verantwoordelijke daar even niet oplette, pakte ze de *peinilla*, die ze tussen de kleren stopte die ze bij zich had om zich om te kleden. Het koste later nog heel wat moeite om het ding te verstoppen en mee te nemen zonder ons eraan te bezeren.

Toen we eenmaal alles verzameld hadden, wachtten we een goed moment voor onze vlucht af. Daar konden we niet lang mee wachten want het was al eind maart, en dan zijn de nachten het helderst. Op een schitterende avond met een volle maan die het hele oerwoud verlichtte, besloten we de nacht erna te vluchten. Overdag gedroegen we ons hetzelfde als altijd om de guerrillero's niet wantrouwig te maken. Toen het donker werd, gingen we zo vroeg mogelijk slapen om de poppen te maken die we bij ons vertrek wilden achterlaten.

We hadden het geluk dat rond zeven uur een hevig noodweer losbarstte. Het werd stikdonker en we konden geen hand voor ogen zien, maar het oorverdovende lawaai van de regen bood een uitstekende kans om ongemerkt te ontsnappen. We besloten onze plannen dus door te zetten. We legden de poppen op hun plaats en vertrokken uit onze loods. Ingrid ging voorop, ik volgde.

Het moeilijkste was het om de eerste veiligheidszone van de bewakers ongezien over te steken. Ondanks de harde regen durfden we geen geluid te maken. We vertrokken vanuit de achterkant van de loods en kropen tot aan de latrine over de grond. Dit traject van maar enkele meters kostte ons bijna een uur. Volgens mij ben ik nooit in mijn leven zo opgewonden en nerveus geweest. Ik zweette overvloedig maar was waakzaam als een kat en had mijn ogen overal.

Eindelijk bereikten we de latrine zonder de lantaarn aan te

steken of lawaai te maken. Het regende nog steeds. We gingen staan en liepen geruisloos het dichte bos in, maar we konden ons met geen mogelijkheid oriënteren of een bepaalde richting volgen omdat we door een zee van bomen en struiken omringd waren. We liepen dus gewoon waar het ons het beste leek, en staken af en toe de lantaarn aan om naar de grond te kijken. Plotseling botste ik tegen iets op en gleed ik van een helling omlaag. Ik slaakte onwillekeurig een kreet maar klemde meteen verstijfd van angst mijn kaken op elkaar. Een tak was tussen mijn benen verstrikt geraakt en had me een schaafwond bezorgd maar niets ernstigs. We zetten onze tocht voort en liepen urenlang door – ik weet niet hoe lang precies – totdat we uitgeput besloten om even te rusten. Het regende nog steeds, en we gingen kletsnat op het zwarte plastic aan de oever van een rivier zitten. Ineens hoorden we een geluid. We wisten niet wat voor dier het was, maar ik dacht aan een alligator omdat ik hem hoorde kruipen. We knipten de lantaarn aan maar zagen niets. Toen we hem weer uitzetten, hoorden we het geluid nog steeds. Daarom liepen we door. De rivier was niet erg breed, maar we durfden hem niet over te steken en besloten stroomopwaarts te lopen – of misschien was het stroomafwaarts. Dat was namelijk niet vast te stellen. In die omgeving leek alles hetzelfde. Toch begrepen we algauw dat de rivier een soort spiraal met dichtbegroeide oevers was, wat onze tocht bemoeilijkte. Daarom gingen we opnieuw het bos in om door te kunnen lopen. De nieuwe dag brak bijna aan, en we moesten een plek vinden om ons te verbergen. Ineens hoorden we de motor van een boot. Ze waren ons kennelijk aan het zoeken.

We bleven een tijd roerloos staan, voelden ons bijna verlamd en knipperden niet eens met onze ogen. Pas een hele tijd later durfden we door te lopen. Toen het eenmaal licht was, zag ik tot mijn grote verbazing waar we waren. Overal was de grond bedekt met modderwater en een dikke laag struikgewas waarin ons lichaam bij elke nieuwe stap verder verstrikt raakte. We konden niet zien waar we liepen. We probeerden om beurten ons met het kapmes een weg te banen, maar dat was volstrekt onmogelijk. We waren uitgeput en verzwakt door de enorme emotionele inspanning die we geleverd hadden toen we uit het kamp vertrokken. Bovendien hadden we het na een lange, slapeloze nacht koud. We waren bang en de regen had ons doorweekt. Nog steeds was ergens in de buurt de motor van de boot te horen, en ondanks al onze inspanningen kwamen we geen stap verder. Plotseling kwam er zo veel paniek boven dat we zo snel mogelijk naar de rivier terugliepen. Daar begroeven we het kapmes en onze andere spullen, en gingen gewoon op de oever zitten wachten totdat we werden opgepikt. En inderdaad: een paar minuten later verscheen er een boot vol bakbananen plus een guerrillero die tegen ons zei: 'De commandant is woedend, in alle staten. Hoe hebben jullie het in je hoofd gehaald om te ontsnappen? Jullie hadden wel dood kunnen zijn.' Hij schrok overduidelijk van de staat waarin hij ons aantrof: we waren kletsnat en bleek en ons gezicht verried onze vermoeidheid en spanning.

Bij onze aankomst in het kamp bleek de commandant inderdaad razend. Iemand anders was voorraden komen brengen, en ze waren de maaltijd aan het voorbereiden. Wij konden niets anders bedenken dan onze excuses aan te bieden en verzekeren dat we het niet opnieuw zouden proberen. Ze brachten ons naar een plaats waar ze ons met een paar emmers water een bad lieten nemen, en daar lieten ze ons achter. Na het middaguur rammelden we van de honger en kregen toen een paar net geroosterde bakbananen als maaltijd. Aan het eind van de middag brachten ze ons naar een ander kamp, waar we een paar dagen bleven.

Na deze mislukte vluchtpoging waren we in de ban van moedeloosheid en frustratie. We hadden een gouden kans laten lopen. Het moeilijkste was al achter de rug – we hadden alles voorbereid, het kamp verlaten en de bewakers misleid – maar daarna bleken we niet in staat om de rivier over te steken en door het oerwoud te trekken. Wat ons de das omdeed, was volgens mij het geluid van het dier dat we niet konden identificeren. Bovendien bleek het heel moeilijk om het donker en de regen tegelijkertijd te trotseren, zeker midden in het oerwoud en zonder te weten waar we waren en waar we naartoe gingen.

Maar we gaven ons niet gewonnen, besloten het opnieuw te proberen en deden dat een paar weken later inderdaad. Die keer wisten we drie hele dagen in het oerwoud te blijven, maar de tweede nacht kostte ons bijna het leven. Bij het vallen van de avond maakten we een soort hutje van het zwarte plastic als dak om ons tegen de regen te beschermen. We gingen op de grond liggen en vielen van uitputting bijna meteen in slaap. Maar even later werden we gewekt door het geluid van water. Dat was niet alleen regen, maar ook water dat de omgeving aan het overstromen was. We stonden snel op en verzamelden in het donker onze spullen maar konden het kapmes niet vinden. Het water steeg zo snel dat het een paar minuten later tot borsthoogte stond. We probeerden in een boom te klimmen maar dat lukte niet, en toen werden we doodsbang. Ik weet nog dat ik naar de hemel riep: 'Ik wil hier niet verdrinken!' Ondanks de duisternis en onze wanhoop vonden we gelukkig een soort pad dat omhoogliep. Zo konden we het water achter ons laten totdat we een droog gebied bereikten waar we tot zonsopgang bleven. Maar na deze zware beproeving, die ons het leven had kunnen kosten, waren het dichte oerwoud en de vermoeidheid opnieuw te veel voor ons, en nu gebleken was dat we niet op eigen kracht uit het ondoordringbare bos konden ontsnappen, gaven we ons voor de tweede keer over.

Toen de guerrillero's ons deze keer vonden, hadden ze geen enkel medelijden met ons en werden ze heel grof. Ze namen ons zelfs onder schot en dreigden ons te doden als we nog één keer probeerden te vluchten. Uiteraard hadden ze vanaf dat moment geen enkel vertrouwen meer in ons en gaven ze ons niets meer, zelfs geen lantaarn. Ze waren razend en zeiden dat ze ons voor slimmer hadden aangezien maar nu hun reet met ons afveegden. Ze zeggen nooit veel, maar van de vijf woorden die ze uiten, zijn er vier grof. Ik antwoordde dat ze ons niet ontvoerd zouden hebben als dat waar was. Maar de guerrillero's hadden onze nieuwe vluchtpoging moeten melden en versterkingen moeten vragen om ons in het gebied te zoeken. De commandant en de wachtposten werden zelfs vervangen. De nieuwe garde was natuurlijk per definitie tegen ons en besloot ons te straffen door ons een maand lang te ketenen.

We kregen allebei een hangslot aan onze enkel. Daaraan zat een ongeveer drie meter lange ketting die aan een boom was bevestigd. Daarmee konden we ons nauwelijks bewegen. Ze maakten ons alleen los als we naar de latrine gingen. De rest van de tijd en zelfs 's nachts lagen we als dieren aan de ketting. Ik werd gekweld door de gedachte aan wat er zou gebeuren in het geval van bijvoorbeeld een overstroming of een ander probleem, als de guerrillero's niet op tijd de sleutels van het hangslot konden vinden. Tijdens mijn hele gevangenschap was dat de enige keer dat ik geboeid werd, maar deze periode liet onuitwisbare sporen in me achter. Ik vond het een barbaarse straf, en dat vind ik nog steeds. Het was de eerste keer in mijn leven dat ik me als een dier behandeld voelde. Er is geen andere manier om het te omschrijven. Het had een enorme uitwerking op me en ik werd er razend van, maar het bezorgde me tegelijkertijd veel leed. Ik vond mezelf de ellendigste mens ter wereld, en de guerrillero's leken me de walgelijkste schepsels die ik ooit was tegengekomen.

Toch wist ik mijn woede, verdriet en angst te bedwingen en deed ik er het zwijgen toe. Maar ik geloof dat mijn houding tegenover Ingrid in die fase begon te veranderen. Het ergerde me dat ze tijdens onze tweede vluchtpoging in alle staten raakte toen ze midden op de dag een bijennest zag. Ik weet nog precies hoe het ging. We staken een droge rivier over en liepen gebukt onder een brug van niet meer dan anderhalve meter hoog door. Zij liep voorop, stuitte op het bijennest en rende meteen gillend weg. Ik liep een meter achter haar en klom naar de weg waar zij pogingen deed om zich met veel drukte van een wolk bijen te bevrijden, hoewel het midden op de dag was en iemand ons vanaf de weg had kunnen zien. Ik vroeg haar om te kalmeren, niet zo te gillen en geen wilde bewegingen meer te maken omdat die beestjes daar alleen maar bozer van werden. Ik zei dat ze langzaam haar donkere jasje moest uittrekken en het op de grond moest leggen, waarna ze uit de buurt moest gaan. Dat deed ze, en toen lieten de bijen haar eindelijk met rust. Maar we moesten nog wel het jasje zien terug te krijgen, en daarom liep ik er langzaam op af. Waarschijnlijk staken ze me op dat moment in mijn voeten, want in plaats van laarzen droeg ik sportschoenen. Een paar uur later waren mijn voeten ontstoken en kostte het veel moeite om normaal te lopen.

Toen ik na onze terugkeer van onze tweede mislukte vluchtpoging opnieuw als gevangene in het kamp zat, werden mijn woede en gevoel van onmacht nog verergerd door het verdriet over Ingrids vader, die inmiddels overleden bleek te zijn. We lazen het in een krant die de guerrillero's aan ons doorgaven, en raakten in de ban van een diepe en ontroostbare droefheid. De guerrillero's hadden echter geen enkel medelijden met ons en legden ons gewoon aan de ketting.

Omdat ik niet kon lopen en me ook vanwege die ketting nauwelijks kon bewegen, bad ik veel. Ik vroeg de bewakers om een bijbel, en die brachten ze samen met wat crèmes. Na het ontbijt en het middagmaal, dat meestal uit suikerwater bestond, las ik hardop voor uit de Heilige Schrift om Ingrid af te leiden en aan iets anders te laten denken. Ze was intens verdrietig, zo erg dat ik erop aandrong om vanwege haar kinderen een poging te doen om in leven te blijven.

We begonnen vervolgens een hongerstaking van negen dagen als protest tegen die kettingen en werden er uiteindelijk van bevrijd. Tijdens die dagen baden we 's ochtends, 's middags en 's avonds een rozenhoedje, en daarnaast hielden we een gebedsnovene voor de ziel van haar vader. Zijn dood raakte ook mij diep, en ik moest denken aan mijn eigen verdriet bij de dood van de mijne, die een jaar eerder was overleden. Ingrid verdronk in een diepe rouw, en ik werd heel moedeloos van haar enorme verdriet.

De zware beproeving van haar rouw, terwijl we zelf aan de ketting lagen, liet onbetwistbaar sporen in ons achter en bracht innerlijke veranderingen op gang. De ene saaie en trieste dag volgde op de andere en al onze ruimtes kwamen in de greep van de stilte. We lazen alleen de bijbel en bespraken wat we gelezen hadden, maar als we daarmee klaar waren, viel er kennelijk niets meer te bespreken.

12

Verwijdering

Geestelijk ging het steeds slechter met ons totdat we ons allebei volledig ondergedompeld voelden in een put van wanhoop en verdriet waaruit geen ontsnapping mogelijk was. Zoals altijd hadden we de problemen op allerlei manieren kunnen aanpakken, maar zonder er veel over na te denken kozen wij voor de stilte.

Ik neem aan dat wij elkaar de schuld gaven van onze mislukte vluchtpogingen, maar dat is nooit uitgesproken. We hebben zelfs niet geanalyseerd wat er precies verkeerd was gegaan, laat staan dat we nieuwe plannen probeerden te maken. Al dat slecht verwerkte verdriet schiep een barrière van stilte tussen ons, en wat er bij veel echtparen gebeurt, gebeurde ook tussen ons: de communicatie liep stuk, en wij veranderden in twee onbekenden die niets meer gemeen hadden. Ik kan niet zeggen dat er iets concreets gebeurde waardoor onze vriendschap schipbreuk leed. Het was eerder een geleidelijke verwijdering die door de omstandigheden bepaald werd.

Ik wist niet goed wat ik tegen Ingrid moest zeggen. Ze rouwde om haar vader, en ik probeerde haar meer levenslust te geven door haar uit te nodigen tot bidden en bijbellezing. Maar zelf was ik ook triest en in een poel van verdriet gedompeld. Ik dacht onwillekeurig – en denk dat nog steeds – dat ik door met haar mee te gaan een enorm offer had gebracht, een offer dat volstrekt nutteloos was gebleken, want mijn gezelschap had tot niets gediend en de afstand tussen ons was inmiddels onoverbrugbaar. Ik begreep maar niet waarom we geen enkel begrip meer voor elkaar konden opbrengen. In die situatie en op die manier aan de ketting gelegd had ik echt het gevoel dat we naar het ravijn van de dood afdaalden.

Ik was woedend op mezelf omdat ik die gevaarlijke reis naar San Vicente del Caguán met haar had ondernomen, maar ik wilde niets van haar eisen, want daartoe had ik het recht niet. Toch kostte het moeite om haar verdriet te aanvaarden. Ik had haar altijd een sterke en besluitvaardige vrouw gevonden, en het was onthutsend om haar te zien afbrokkelen totdat ze elke levenslust verloor. Ze was voor mij altijd een levend voorbeeld geweest, maar nu werd ze een symbool van de dood. Haar gedrag werd buitengewoon apathisch en heel zuur. We konden zelfs geen gesprek meer voeren over de hel waarin we verkeerden. Naar mijn mening ontstonden daardoor barrières tussen ons die we nog steeds niet hebben kunnen slopen. Ze bestaan dan ook nog steeds.

In die extreme situatie, waarin niets om ons heen de eenheid bevorderde en waarin we niets konden delen, werden volgens mij ook onze karakterologische verschillen duidelijker. Ik denk dat Ingrid in zekere zin een politieker temperament heeft dan ik: wie niet met haar is, is tegen haar, terwijl ik het best met iemand oneens kan zijn zonder dat die ander daarmee een vijand wordt.

Omdat ons samenzijn vrijwel onmogelijk was geworden, besloot de kampcommandant ons te scheiden en in aparte caleta's te zetten. Uit angst voor een norse afwijzing deed ik geen enkele toenaderingspoging meer, en ik wachtte tot ze weer goedgemutst genoeg was om me weer te willen zien, wat in het algemeen eens per maand gebeurde. Dan baden we samen een rozenhoedje voor haar vader.

De commandanten herinnerden ons meer dan eens aan het feit dat we ontvoerd waren en elkaar moesten helpen. Zelf vond ik het absurd dat ze zich daarmee bemoeiden alsof wij onze meningsverschillen niet zelf konden oplossen.

Op een gegeven moment kwam ik op het idee de guerrillero's als tijdverdrijf om een woordenboek te vragen. Ze kwamen het brengen, maar wie schetst mijn verbazing toen Ingrid me het gebruik van het boek verbood. Ook vond ik het vreselijk dat ik van haar niet mocht deelnemen aan de Franse lessen die ze soms aan de andere gevangenen gaf toen we allemaal bij elkaar waren gezet. Het leek wel alsof ze niet wilde dat ik mijn tijd nuttig gebruikte, en dat vond ik ongelooflijk. Ook de guerrillero's verbaasden zich over haar gedrag en begonnen de dingen gescheiden aan ons te geven, zodat zij niet alles voor zichzelf kon houden. Dat leerde me veel over de verhouding tussen mensen onderling. Maar na verloop van tijd trok ik me steeds minder van haar houding tegenover mij aan, vooral toen we eenmaal bij de rest van de gijzelaars waren gezet.

Geen enkele gebeurtenis rechtvaardigt natuurlijk een zo diepe verwijdering als die er tussen ons ontstond. Maar de redenen en emoties van de mensen gaan niet altijd gelijk op en hebben niet altijd hetzelfde verloop. Vandaar dat onderlinge relaties ingewikkeld zijn. En op zulke dramatische momenten wordt het nog moeilijker om helemaal te doorgronden wat zich in de harten en hoofden van de anderen genesteld heeft.

Het waren zonder enige twijfel moeilijke tijden, en als ik er achteraf aan terugdenk, komen nog steeds gevoelens van onbehagen, droefheid en melancholie bij me op. Diep in mijn hart geloof ik dat onze situatie weliswaar heel treurig is geweest maar dat we er toch beter mee hadden moeten omgaan. Dan was de wond in onze ziel misschien al geheeld. Hoe dan ook, van dit trieste rest niets anders dan de herinnering aan een moeilijke tijd.

13

Eenzaamheid

Toen ik van Ingrid gescheiden was en voor het eerst alleen in mijn caleta zat, overheersten drie soorten gevoelens. Het eerste was dat van de noodzaak: ik wist dat ik alleen was en me er zo goed mogelijk doorheen moest slaan, wat me in zekere zin herinnerde aan mijn vorige, onafhankelijke bestaan. Het tweede gevoel was dat van rust, want ik had nu mijn eigen ruimte en dat gaf een zekere kalmte. En op de derde plaats dat van de eenzaamheid. Ik voelde me sterk genoeg om die aan te kunnen, maar het bleek een loodzware beproeving.

Ik ontwikkelde al bijna meteen een eigen routine, want dat is in zulke omstandigheden fundamenteel. Ik werd om vier uur 's ochtends wakker, ging naar de latrine en friste me een beetje op. Daarna liep ik weer naar de caleta om op te ruimen. In die periode had ik een kleine radio gekregen. De ontvangst was heel slecht, maar in elk geval kon ik tot tien over zes naar een zender uit Doncella in het Zuid-Colombiaanse departement Caquetá luisteren. Op sommige dagen hoorde ik zelfs de samenvatting van het nationale nieuws, die naar de lokale zender werd doorgeseind. Om kwart over zes ging ik de zwarte koffie halen die we elke ochtend kregen. Ik ging naar mijn caleta terug en las en herlas de paar tijdschriften die ze ons hadden gegeven. Rond half acht kwam het ontbijt. Daarna ijsbeerde ik door mijn eigen caleta: soms een uur, soms twee uur, en één keer zelfs vier uur lang tot aan de middagmaaltijd. Al lopend doodde ik de tijd door de rozenkrans te bidden en over alle mogelijke dingen na te denken. Ik peinsde bijvoorbeeld veel over hoe mijn leven er na mijn bevrijding uit zou zien. Na het middageten waste ik af, poetste mijn tanden en rustte een tijdje uit.

Om een uur of twee ging ik weer lopen of borduurde ik een tijdje. Rond vier uur legde ik mijn kleren klaar omdat een guerrillera – dezelfde die me het eten bracht – me dan meenam naar de rivier, waar ik mocht zwemmen totdat ze me dat verboden. Het was heerlijk om een half uurtje met krachtige armslagen tegen de stroom in te zwemmen en me dan weer stroomafwaarts te laten drijven. Dat was zonder twijfel het hoogtepunt van de dag. Als ik me door de stroom liet meedrijven, voelde ik me zo vrij als een vogeltje, en ik spreidde mijn armen dan alsof ik zweefde. Op zulke momenten in het water stroomde mijn lichaam vol energie, wat een gevoel van lichamelijk welzijn gaf. Ik was toen nog geen veertig en hield mijn lichaam fit. Ik was slank en mijn gezicht was sinds mijn meisjesjaren nauwelijks veranderd. Maar aan die momenten van vrijheid kwam een eind toen de slang opdook. Daarna mocht ik niet meer zwemmen.

Rond vijf uur was ik weer aangekleed en was ik klaar voor het avondeten: normaal gesproken suikerwater met een *cancharina*.[29] Ik deed weer de vaat en poetste mijn tanden, en daarmee was mijn programma voor die dag afgewerkt. In die periode had ik nog niet geleerd om de antenne van mijn radio te installeren, zodat ik rond die tijd geen enkele zender kon ontvangen. En omdat het dan al donker begon te worden, ging ik onder mijn klamboe liggen.

Ik raakte al bijna meteen in de greep van de eenzaamheid. Van praten kwam het zelden, en ik zei nauwelijks iets anders dan 'goedemorgen' en 'dank je' tegen de guerrillera die mijn ontbijt en middageten kwam brengen. Ik at altijd alleen en had niemand om mee te praten, ook niet over de dingen die ik 's morgens vroeg op de radio hoorde. Kranten waren er evenmin en ik voelde me volledig van de wereld afgesloten. Tijdenlang was ik in een volstrekte monotonie en een even volstrekte eenzaamheid gedompeld. Soms lag ik de hele nacht wakker, en als het regende, was ik bang dat de rivier in de buurt overstroomde. Steeds als ik ging baden, controleerde ik het waterpeil. Ook van onweer werd ik doodsbang, want in het oerwoud zijn donderslagen en bliksemschichten angstaanjagend. Ik durf bijna te zeggen dat ze evenveel paniek zaaiden als de bommen van het leger.

In die bijna volstrekte eenzaamheid probeerde ik ondanks alles moed te houden. Ik telde bijvoorbeeld de dagen die voorbijgingen en hield bij welke dag het was, maar dat was niet altijd makkelijk, want in het oerwoud is de ene dag gelijk aan de andere.

Ik leefde opgesloten in een wereld van stilte waarin ik met niemand praatte en waarin het bijna gewoon werd dat niemand het woord tot me richtte. Toen ik op een dag mijn kleren aan het wassen was, kwam de commandant iets tegen me zeggen maar ik ging gewoon door met mijn werk en reageerde niet op zijn komst totdat hij me nadrukkelijk met mijn naam aansprak. Omdat ik niet antwoordde, riep hij me nog een paar keer maar verloor toen zijn geduld en schreeuwde: 'Claraaa!' Ik was heel erg afwezig. Mijn lichaam was er wel, maar mijn geest was heel ergens anders. Zijn schreeuw verraste me. Ik draaide me om en keek hem aan. Ik weet niet eens meer wat hij wilde. Maar het incident bewees het volstrekte isolement waarin ik verkeerde. Het was werkelijk een geestelijke marteling, een vorm van geweld die moeilijk voorstelbaar is voor iemand die het niet heeft meegemaakt. Ik voelde me als mens volledig genegeerd.

Ik vraag me nog steeds af waar ik de kracht vandaan haalde om overeind te blijven, vooral omdat ik was grootgebracht in een warm gezin waarin ik als jongste dochter en enige jonge vrouw het lievelingetje van mijn vader was. Vanaf mijn vroegste jeugd totdat ik jurist werd en ook nog daarna heb ik me altijd verwend gevoeld. Daarom was deze toestand van gevangenschap en isolement extra zwaar. De situatie vrat aan mijn binnenste. Zelfs de commandant merkte blijkbaar dat het slecht met me ging, want een paar dagen na het genoemde incident kwam hij op het idee om een baan aan te leggen waar ik kon rennen en oefeningen doen. Het was een gesloten, bijna zeshoekige baan. Aan een van de rechte gedeelten installeerden ze een balk en een paar planken voor kniebuigingen. En voortaan ging ik rond vier uur 's middags, voordat ik me baadde, daar oefeningen doen.

Maar hoe dan ook, het lijdt voor mij geen twijfel dat die commandant en de mannen en vrouwen onder zijn bevel heel goed wisten welke schade ze toebrachten en hoeveel verdriet ze me deden. Toen we maanden later naar een andere groep gevangenen werden overgebracht, bood hij zelfs excuses aan 'in naam van zijn organisatie'.

14

Hongerstaking

Een mens leeft niet van brood alleen.

Het was me gelukt om een dagelijkse routine op te bouwen en mijn lichaam in conditie te houden. Maar mijn geest, mijn hart en mijn ziel waren bij mijn familie.

Het is niet zo dat ik het eten niet lekker vond. De gerechten die ze ons voorzetten, waren in het algemeen niet slecht klaargemaakt, zeker als je rekening houdt met de schaarste en de moeilijke bevoorrading midden in het oerwoud. Maar op momenten van eenzaamheid en isolement en vooral als ik me terneergeslagen voelde, had ik gewoon geen trek. Ik genoot niet van het eten, en al helemaal niet omdat niemand mee at. In die omstandigheden was het betrekkelijk gemakkelijk om aan een hongerstaking van eenentwintig dagen te beginnen waarin ik steeds alleen 's morgens vroeg een maïsbroodje en wat suikerwater nuttigde. Ik zat al een jaar gevangen en vond dat ik iets moest doen om te protesteren. Daarom begon ik op 2 februari 2003 aan een hongerstaking, die ik tot 22 februari, de vooravond van de eerste verjaardag van mijn ontvoering, volhield. Al die tijd had ik volstrekt niets van mijn ouders gehoord en geen enkel bericht ontvangen. Op de radio hoorde ik soms nieuwsuitzendingen over ontvoerden, maar niemand had het over mij. Het leek wel of het oerwoud zelfs de herinnering aan mij had opgeslokt.

Dat was de tweede serieuze hongerstaking die ik ondernam. De eerste vond algauw na onze ontvoering plaats, want toen protesteerde ik samen met Ingrid negen dagen lang tegen de kettingen waarmee ze ons gekluisterd hadden, en dankzij die hongerstaking kregen we gedaan dat ze werden afgedaan. Daarna had ik het nog eens opnieuw geprobeerd, maar mijn wilskracht was toen niet groot genoeg om het meer dan een paar dagen vol te houden. De eerste dagen zijn het moeilijkst, althans voor mij. Je kunt een mislukking alleen verhinderen door aan andere dingen dan aan voedsel te denken. Gedachten aan eten ondermijnen je wilskracht.

Wat was mijn motief om in hongerstaking te gaan? Ik voelde een dwingende noodzaak om dichter bij God te zijn en Zijn aandacht, clementie, bescherming en leiding te vragen. Ik kwam tot de conclusie dat mijn situatie een reden had, en dat ik van die bittere ervaring moest leren. Ik moest er lessen uit trekken voor mijn eigen ontwikkeling als mens.

Tijdens mijn hongerstaking bereikte ik diverse dingen: ik versterkte mijn wilskracht en oefende mijn onthechting. Het materiële interesseerde me steeds minder. In praktische termen werd ik voor mijn commandanten een groot probleem, want zij hadden het bevel om me niet van de honger te laten omkomen. Ze konden natuurlijk niets anders doen dan mijn hongerstaking aanvaarden maar zagen die wel – en terecht – als een opstand tegen henzelf, als een daad van ongehoorzaamheid aan hun normen.

Ik had de kans gekregen om een paar interne reglementen van de guerrillabeweging te lezen en wist dat de guerrillero's de godsdienst en geloofsovertuigingen van de gevangenen moesten respecteren. Om represailles te voorkomen stelde ik mijn hongerstaking dan ook voor als een godsdienstig gebruik dat ze moesten dulden. Uiteindelijk deden ze dat ook, zij het knarsetandend. Ik vertelde altijd op welke dag ik begon en ophield. Voor mij betekende dat een dubbele verplichting: ik moest mijn staking beginnen en tot elke prijs volhouden. In zo'n periode bleven de guerrillero's me maaltijden sturen zodat niemand kon zeggen dat ik geen eten kreeg.

Toen we eenmaal in het gezelschap van de andere gevangenen waren, schepte ik mijn portie niet op maar liet die in de pan achter voor het geval een van de andere gevangenen er trek in had. Ik had vanaf mijn vroegste jeugd geleerd om geen eten te verspillen, en daarom leek het me een kwestie van slechte manieren om het wel op te scheppen maar dan weg te gooien.

Ik ging ook negen dagen in hongerstaking toen mijn zoon Emmanuel werd weggehaald. Ik had hem drie jaar eerder in gevangenschap gekregen en hij was altijd bij mij geweest maar dreigde toen van me gescheiden te worden. Ik wijdde mijn offer aan de Maagd Maria en bereikte in elk geval dat ik hem af en toe weer mocht zien. En toen ze hem in 2005 definitief bij me weghaalden, vastte ik tot aan mijn bevrijding elke drie maanden negen dagen, en ook dat droeg ik op aan de Maagd.

En wat bereikte ik ermee? Op het eerste gezicht niet veel. Maar ik had in elk geval het gevoel dat ik de guerrillero's er op een respectvolle maar glasheldere manier aan herinnerde dat hun optreden verkeerd was.

Een hongerstaking is altijd moeilijk maar wordt in het oerwoud nog zwaarder omdat elk moment het sein kan komen dat je weer op mars moet. Als je niet goed gevoed bent en dus kracht mist, eist een urenlange voettocht een bovenmenselijke inspanning. En omdat je als gevangene geen materiële bezittingen hebt, betekent de maaltijd meer dan in het normale leven. Dat ik er uit vrije wil van afzag, leerde me dan ook diverse dingen, niet alleen over mezelf en mijn karakter, maar ook over de mensen om me heen. In het gezelschap van de andere gevangenen merkte ik dat mijn hongerstaking hun respect voor mij vergrootte. Dat gold ook voor de guerrillero's, voor wie het eten fundamenteel was. Ik was me ervan bewust dat mijn houding op iedereen veel indruk maakte. Zelfs nu, na mijn bevrijding, hebben diverse geestelijken van de katholieke Kerk hun bewondering geuit voor het feit dat ik in mijn gevangenschap, toen alles per definitie veel moeilijker was, afzag van voedsel.

Al die ervaringen brachten me dichter bij God dan ik ooit had kunnen denken. Ik kreeg zelfs dromen die ik onbegrijpelijk vond maar die me desondanks de hoop gaven dat ik ooit weer met mijn zoon herenigd zou worden en de vrijheid terugkreeg waarnaar ik snakte.

In de laatste drie maanden van mijn gevangenschap werd ik beheerst door een onbegrijpelijk gevoel van rust en vrede, waardoor ik mijn bevrijding met volstrekte vastberadenheid kon ondergaan.

Al die ervaringen hadden natuurlijk ook gevolgen. Ik heb sindsdien gastritis, want vooral mijn maag had eronder te lijden. Verschillende keren kreeg ik last van hevige maagpijn, koorts en rillingen, en nog steeds mankeert me af en toe het een en ander. Maar diep in mijn binnenste weet dat ik gedaan heb wat mijn hart me ingaf. Al mijn inspanningen hebben me geholpen om mijn geloof te versterken, en daar gaat het uiteindelijk om.

15

Het geloof

Het geloof is een deugd. Dat diepgravende concept is niet makkelijk uit te leggen. Een combinatie van elementen stelt je in staat om het te bereiken: op de eerste plaats een bepaalde gesteldheid van je hart, gevolgd door een specifieke instelling van je geest en ziel. De rest volgt vanzelf.

'Het geloof is een vaste grond der dingen, die men hoopt, en een bewijs der zaken, die men niet ziet. […] Zonder geloof is het onmogelijk God te behagen. Want die tot God komt, moet geloven, dat Hij is, en een Beloner is van hen, die Hem zoeken' (Hebreeën 11, 1 en 6).

Hoe heb ik die deugd kunnen ontwikkelen? Na mijn geboorte ben ik gedoopt en ingewijd in het katholieke geloof. Ik ging naar een lagere school van Spaanse nonnen. Twaalf jaar lang ging ik regelmatig naar de mis en woonde ik de godsdienst- en catechismuslessen bij. Ik was zelfs lid van een groep meisjes die af en toe een voettocht door de bergen rond Bogotá maakten. We baden dan de rozenkrans en hielden een kleine vasten, die we opdroegen aan de Maagd Maria. Toen ik ging studeren aan het Colegio Mayor de Nuestra Señora del Rosario, een heel traditionele universiteit van Bogotá, ging ik nog steeds af en toe naar de kerk.

Net als veel andere Colombianen was ik praktiserend katholiek. Maar pas tijdens mijn gevangenschap werd mijn geloof echt op de proef gesteld en kreeg het in mijn leven een belang dat ik me eerder nooit had kunnen voorstellen. In de eindeloze dagen van de zes jaar dat ik van mijn vrijheid beroofd was, hield mijn geloof me op de been, en ik ben ervan overtuigd dat ik die nachtmerrie niet overleefd zou hebben als ik niet mijn diepe godsdienstige overtuigingen had bezeten. Al direct na mijn ontvoering besloot ik zonder voorbehoud te aanvaarden wat voor me was weggelegd, en ik vroeg God slechts dat Hij me de kracht gaf om het onder ogen te zien. Anders dan andere gevangenen die in hun wanhoop aan zelfmoord dachten om aan die hel te ontsnappen, heb ik nooit overwogen mezelf van het leven te beroven, want voor mij is het bestaan een geschenk van God en is het niet aan de mens om erover te beschikken.

Ik had al enige tijd de behoefte om de hele bijbel te lezen, en de ontvoering gaf me een prachtkans om dat te doen. Ik had immers alle tijd van de wereld. De guerrillero's beloofden me probleemloos een exemplaar, en al een paar weken nadat ik erom gevraagd had, had ik mijn bijbel in handen. Toen begon ik het boek systematisch te lezen. Elke dag nam ik me de lectuur van een bepaald aantal bladzijden voor, en uiteindelijk las ik gemiddeld zeven of acht uur per dag. Al na een maand had ik het boek uit, en dat vond ik een hele prestatie. Het was alsof ik een exotische reis had ondernomen van de soort die je maar één keer in je leven meemaakt.

Later moest ik het zonder mijn bijbel zien te stellen. Ik verloor het boek toen we een keer in allerijl het kamp moesten verlaten en ik mijn schaarse bezittingen achterliet. Daarna had ik alleen een Nieuw Testament, een cadeautje van een van de militairen die ik in gevangenschap had leren kennen. Ik koesterde dat boek tot aan mijn bevrijding als mijn allerkostbaarste bezit. Ik maakte er zelfs van een stuk textiel een hoes voor, en die smeerde ik met tandpasta in om de mieren en andere insecten weg te houden.

Ik herlas het boek met enige regelmaat, maar dan alleen de verzen en regels die me het meest opvielen. Vooral de parabels waren een genot om te lezen, misschien omdat ze al sinds mijn vroegste jeugd bij mij ingehamerd waren. Drie van die parabels zijn tijdens mijn gevangenschap extra belangrijk geweest. De eerste was het verhaal van de talenten, omdat ik heel goed begrijp dat je het licht in je hart ook moet gebruiken om anderen de weg te wijzen. De tweede was dat van het verloren lam, omdat de FARC voor mij het verdwaalde lam van de schaapskooi vormen. Het is onze taak om de FARC-leden duidelijk te maken dat ze de fundamentele mensenrechten moeten respecteren, zoals het recht op leven en op menselijke waardigheid. In die zin verbaast het me niet dat de huidige regering[30] beloningen uitlooft aan guerrillero's die gevangenen vrijlaten, en hun in ruil daarvoor middelen biedt om een nieuw leven te beginnen.

Ik moest ook vaak denken aan het derde verhaal: de parabel over de bruiloft van Kana, want ik begreep heel goed dat ik altijd gevaar liep om het leven te verliezen. Om die reden leerde ik in de loop van de dagen, weken, maanden en zelfs jaren om toleranter te zijn, de feiten te aanvaarden en de werkelijkheid van mijn leven te begrijpen. Ik kon niets anders doen dan geduld te leren oefenen. En juist dat probeer ik ook mijn zoon Emmanuel bij te brengen, want niets is belangrijker dan dat. Voor hem en zijn generatie schrijf ik deze woorden, in de hoop dat ze, als ze groot zijn, deze boodschap zullen lezen en tot zich laten doordringen. Het is essentieel dat je in je leven geduldig leert te zijn, want dan kun je je karakter op zo'n manier ontwikkelen dat je mettertijd het beste van jezelf naar boven kunt halen, zoals ook tijdens de bruiloft van Kana, toen de beste wijn pas aan het eind geschonken werd.

Ik las dus de bijbel, bad mijn rozenhoedjes en zei ook andere gebeden met veel devotie, want ik wist dat de Almachtige me in de bergen en het eindeloze oerwoud kon horen. Bidden ging het best in de vroegste uren van de ochtend, als het overal doodstil was. Dan merkte niemand dat ik bad, en het leek mij de prettigste manier om in het donker de tijd door te brengen. Het waren ideale momenten om me in mezelf terug te trekken. Ik voelde me dan heel dicht bij God en praatte zo ongeveer in Zijn oor alsof Hij mijn vader of een dierbare vriend was.

Als ik overdag baadde, zong ik soms Marialiederen die ik me van school herinnerde. Eigenlijk kende ik er nog maar weinig helemaal uit mijn hoofd, maar dat gaf niet. Ik zong, en daarbij kreeg ik het gevoel dat mijn geest zich even boven mijn ellende verhief. Er waren perioden waarin ik dat al deed zodra ik om vijf uur 's ochtends wakker werd. Het was dan nog donker, maar ik zong tot de Maagd: 'Terwijl jij je leven leidt, ben je nooit alleen. Strijd voor een nieuwe wereld, strijd voor de waarheid. Leg samen met ons de weg af, Heilige Maria, kom. Leg samen met ons de weg af.' Een ander lied dat ik graag zong, was: 'Jezus Christus heeft mijn ziel gewekt, Zijn woord heeft me vervuld van licht. Nooit meer zal ik de wereld kunnen zien zonder te voelen wat Jezus voelde.'

Ik weet dat de militairen die in hetzelfde kamp gevangenzaten, dankbaar waren als ze me hoorden zingen, want daardoor voelden ze zich minder eenzaam. En de guerrillastrijders zeiden er in het algemeen niets over. Er was natuurlijk altijd wel iemand die er iets op tegen had, en soms floten ze me uit, maar op een gegeven moment hielden ze daarmee op. Eén keer vroeg een guerrillero die me bewaakte – een jongeman die een beschaafde en fatsoenlijke indruk maakte – toen hij de pannen van de maaltijd kwam halen: 'Maar Clara, voor wie zing je eigenlijk?' Ik antwoordde: 'Voor God de Vader,' en ik legde uit dat ik was opgevoed om van God te houden alsof Hij mijn vader was. Hij antwoordde: 'Als God bestond, dan wist ik zeker dat hij je niet in gevangenschap zou laten zoals nu.' Daarop riposteerde ik dat ik niet gevangenzat omdat God het wilde maar omdat zijn superieuren het wilden, en die snapten werkelijk niet waar ze eigenlijk mee bezig waren. Uiteindelijk zei ik tegen hem dat hij in geval van nood – en zo'n moment zou zeker komen – aan God moest vragen om zijn weg te verlichten.

Vanaf 2006 had ik een kortegolfradio en kon ik 's middags afstemmen op Radio Católica Mundial. Die zender had een catechismusprogramma voor kinderen. Ik wilde in die periode op de hoogte zijn van alles wat met kinderen te maken had, en was dus erg blij met dat programma. Ik hoorde ook de stem van paus Johannes Paulus II, en dat was heel emotionerend omdat ik me al bijna sinds zijn benoeming sterk met hem verbonden voelde. Ik vond het prettig dat hij aan sport had gedaan, en toen hij zo'n twintig jaar eerder naar Colombia was gekomen, deed ik mee aan zijn ontvangst, die door de Colombiaanse jeugd georganiseerd werd. Ik had ook veel van zijn boeken gelezen. Bij het horen van zijn stem raakte ik dan heel geëmotioneerd, en ik vond het wonderbaarlijk om hem in dat afgelegen hoekje van het oerwoud te horen praten. De zender meldde ook zijn activiteiten, en ik volgde die met veel belangstelling. Zijn dood was een droeve gebeurtenis, en ik denk nog steeds met een immense genegenheid aan hem, net als duizenden andere katholieken over de hele wereld.

Daarna volgde ik ook het optreden van de nieuwe paus, Benedictus XVI. Ik was toen alweer vrij, en een van de eerste boeken die ik cadeau kreeg, was zijn boek over Jezus van Nazareth. Ik las het toen ik van een operatie herstelde. Ik had natuurlijk vooral belangstelling voor het thema van de menselijke vrijheid. De Heilige Vader analyseert het leven van Jezus en de wet van de Torah, en merkt met een citaat uit de brief aan de Galaten op: 'Gij zijt tot vrijheid geroepen, broeders, alleen gebruikt de vrijheid niet tot een oorzaak voor het vlees [...] De vrijheid is vrijheid tot het goede, een vrijheid die zich door de geest Gods laat leiden. Welnu, het kwaad bestaat, en God bestaat eveneens. Maar het kwaad komt voort uit een slecht gebruik van de vrije wil van de mens.' Dat gegeven paste ik toe op het concrete geval van de FARC-aanhangers. Hun optreden leek me op z'n minst onverantwoordelijk. Vrijheid mag immers nooit dienen om andere mensen gewapenderhand te ontvoeren en gevangen te houden.

Toen ik merkte dat ik zwanger was, bad ik tijdens een van die donkere nachten dat mijn kind gered zou worden. Ik zegende het kind in mijn buik, zag het als een lichtwezen en vertrouwde het toe aan de Maagd Maria. Na zijn geboorte maakte ik me zorgen om zijn doop, maar toen ik een keer met hem alleen was, zegende ik hem met rijstwater en gaf ik hem de naam Emmanuel. Een van de eerste dingen die ik deed toen ik eenmaal vrij was, was naar mijn parochiekerk gaan om hem te laten dopen en toe te vertrouwen aan mijn gezegende God, opdat Hij Zijn bescherming altijd tot hem zal uitstrekken. Tegenwoordig lijkt het leven wel een droom, want elke avond, voordat we naar bed gaan, bidden we eerst een gebed tot zijn bewaarengel.

Tijdens mijn hele gevangenschap is er geen moment geweest dat mijn geloof in God en Zijn diepe mededogen wankelde. We mogen ook niet vergeten dat er over de hele wereld duizenden mensen waren die voor mij en mijn zoon hebben gebeden. Dat blijkt steeds weer als ze me op straat groeten. Een paar weken geleden kwam een schattig meisje van een jaar of acht naar me toe. Ze gaf me een medaille van de Maagd van Guadalupe en zei: 'Clara, je moet weten dat we bij ons thuis allemaal elke dag voor je gebeden hebben. En we zijn gelukkig omdat je weer bij je zoon Emmanuel bent. God zegene je vandaag, morgen en altijd.'

16

Onzekerheid en angst

Een gijzelaar heeft niet alleen met eenzaamheid en isolement te maken maar ook met twee andere vijanden die elke dag uit alle macht bestreden moeten worden: de onzekerheid en de angst. Onzekerheid is het gebrek aan houvast, het totale gebrek aan kennis en de vrees voor het onbekende. Angst is een toestand van agitatie en onrust die verhindert dat je tot rust komt.

In het normale leven van alledag komen onvoorziene en angstige gebeurtenissen voor die iemand uit zijn evenwicht brengen, zoals de dood van een dierbare, het verlies van een baan of een verhuizing naar een andere stad. Stelt u zich dus maar voor hoe angstig het is om in één klap alles kwijt te raken. Tijdens mijn gevangenschap was alles onzeker: het eten, mijn slaapplaats, mijn mogelijkheden om overdag de tijd te verdrijven, de kans dat ik levend wakker zou worden... Alles. Een gevangene heeft ineens niets meer en verliest al zijn dierbaren en dagelijkse bezigheden. Hij verliest elke controle over zijn leven en omgeving, blijft eenzaam achter en staat alleen tegenover zichzelf. Zonder iets anders. Die toestand wekt uiteraard veel agitatie, onrust en angst. En als die toestand van volstrekte onzekerheid ook nog eens jarenlang voortduurt, zoals bij mij het geval was, wordt het leed iets onvoorstelbaars.

Een gevangene moet kiezen uit twee mogelijkheden: de dood

omhelzen óf vechten voor het leven. Wie kiest voor overleving, dus de dood en de waanzin afwijst, moet er dagelijks onversaagd voor vechten. Je moet creatief zijn en gebruikmaken van de weinige mentale en materiële middelen die je resten. En al die kleine maar constante inspanningen worden in de loop van de jaren van het grootste belang. Er zijn natuurlijk momenten van verdriet en neerslachtigheid. Dan moet je vechten om je tranen te bedwingen – wat heus niet altijd lukt – maar het belangrijkste is dat die momenten in de minderheid zijn en dat het in de loop van de tijd zo goed mogelijk met je gaat. Dat kost iedereen een enorme inspanning, maar het is zoals het spreekwoord luidt: 'God helpt degene die zichzelf helpt.'

Om de onzekerheid op afstand te houden moet je alles te pakken zien te krijgen wat je kennis van de wereld bevordert. Informatie wordt doorslaggevend. Tot mijn ontvoering was ik gewend om me via de krant, de tv en de vakbladen op de hoogte te houden. Maar in het oerwoud bestaan die allemaal niet. Alleen heel soms bereikte me met veel vertraging een publicatie. Als ik een bepaalde periode een radio tot mijn beschikking had, luisterde ik gretig. Wat dat betreft, waren de twee eerste jaren een hel omdat ik bijna geen nieuws over de buitenwereld kreeg. De vier jaar daarna bestonden uit drie fasen: in de eerste luisterde ik gefascineerd naar de radio die 's morgens en 's avonds maar een paar minuten geluid gaf maar me toch redelijk op de hoogte hield. Daarna kwam een periode van een volledig isolement, dat tot 2005 duurde. En in de laatste fase van mijn gevangenschap stonden ze ons opnieuw een apparaat toe of lieten ze ons in elk geval meermalen per dag naar het nieuws luisteren. Daardoor was ik veel beter geïnformeerd.

Een paar maanden na mijn wrede scheiding van mijn kind wezen ze me een radio toe als middel tegen de trieste eenzaamheid waarin ik gedompeld was. In die tijd leerde ik een antenne maken van een schuursponsje voor pannen, en een van de politiemannen of militairen zorgde er dan voor dat die boven de bomen uitstak. Mettertijd lukte het me om zo'n antenne hoog in de lucht te krijgen. Op die manier kon ik zelfs – al was het maar een paar minuten per dag – afstemmen op de Londense BBC, de Spaanse Radio Exterior of Radio France International.

Maar het nieuws dat me het meest boeide, was natuurlijk dat van Colombiaanse zenders: 's morgens Caracol Radio en RCN en 's avonds *La Luciérnaga* van Caracol, *El Cocuyo* van RCN en *Hora 20*. In uitzonderlijke gevallen kon ik ook afstemmen op de W, de zender waar ik tot de ontvoering meestal naar luisterde. Hun programma's waren nogal *light*, maar alleen al het feit dat ik ze in het oerwoud ontving, was een opkikker. Mijn medegevangenen hoorden liever hun eigen regionale omroep, maar omdat ik de enige was die uit Bogotá kwam, was ik ook de enige die naar een zender uit de hoofdstad luisterde. Kortom, in de laatste jaren van mijn gevangenschap hoorde ik van alle zenders samen zo'n anderhalf uur nieuwsberichten per dag.

Na afloop besprak ik het nieuws graag met mijn medegevangenen en vroeg ik naar hun mening. Vaak waren ze te pessimistisch, en dan wilde ik niets van hun opinies weten, maar ze waren nuttig als tegenwicht bij mijn neiging om al te goedgelovig en optimistisch te zijn. In de loop van de tijd leerde ik mijn medegevangenen goed kennen en wist ik van tevoren wat ze gingen zeggen. Toch besteedde ik aandacht aan hun opinies.

Natuurlijk volgden we met heel veel belangstelling de programma's die berichten voor ontvoerde mensen uitzonden, zoals *Carrilera*, een RCN-uitzending om vijf uur 's ochtends, en *Las voces del secuestro* van Radio Caracol op zondag van twee tot zes uur 's nachts. Die programma's staken ons een hart onder de riem omdat we ook naar de familieleden van de andere gevangenen luisterden. We leerden die verwanten uiteindelijk goed kennen omdat ze heel vaak te horen waren en daardoor bijna tot onze eigen familie gingen horen. Andere keren vertelden vrienden leuke anekdotes of haalden ze herinneringen aan iemands leven op. Het was vermakelijk om ernaar te luisteren: 'Hallo, Juancho. Vrijdag waren we voor een barbecue op het platteland. Weet je wie daar ook was? Paty! Jeetje, jongen wat een leuke meid is dat geworden! We hebben je gemist. We hopen dat je voor de volgende barbecue beschikbaar bent en met ons meegaat. Hartelijke groet.' Er waren ook andere, voor heren bestemde berichten, afkomstig van zogenaamde 'vriendinnetjes'. Ik hoorde ze graag, en degenen voor wie ze bedoeld waren, luisterden ongetwijfeld verrukt. Zulke 'spontane' berichten werden zelfs vaker uitgezonden dan boodschappen van de families zelf. De familieleden beklaagden zich daarover en eisten dat het programma alleen voor hen zou openstaan, maar ik was altijd blij met de bijdragen van anderen en had in het algemeen de indruk dat die berichten heel welkom waren bij de mensen die net als ik gevangenzaten.

Sommige berichten maakten een extra diepe indruk, zoals dat van de directrice van mijn universiteit. Het verscheen in het dagblad *El Tiempo*, en mijn moeder las het op de radio voor:

'Lieve en altijd aanwezige Clara Lety,

Dit is niet voor het eerst dat ik je probeer te schrijven maar vandaag is het Driekoningen en probeer ik het opnieuw, want hier in Spanje is die nacht al voorbij, maar jullie zitten er nog middenin, en die nacht is magisch. De Wijzen uit het Oosten zijn gekomen, en het is prachtig om de kinderen zo blij te zien nu hun dromen werkelijkheid zijn geworden. Ik heb de Wijzen van ganser harte gevraagd om de dromen en verlangens te realiseren van al die mensen die al zo lang hopen dat maar één droom uitkomt: dat we ooit nog eens het dapperste en meest beminde meisje mogen omhelzen dat we bij ons gehad hebben. Toen wisten we al dat je een strijdvaardige, ondernemende en naar rechtvaardigheid strevende vrouw zou worden. Ik ben echt heel trots op je.'

Ook mijn moeder stuurde vaak mooie berichten en nam die zelfs met haar eigen achtergrondmuziek op.

'Voor mijn geliefde Clara Lety,

De dingen die gebeuren, hebben een reden, en wij moeten die redenen achterhalen en analyseren... Ik bid God dat Hij je zegent. Ik hou van je. Je moeder.'

'Allerliefste dochter,

Ik heb alle vertrouwen in jou, in God en in Zijn zegeningen. Voor mij staat vast dat het leven, de harmonie en de vrede in ons geliefde vaderland zullen terugkeren. Ik ben de Almachtige dankbaar dat Hij me een dochter zoals jij heeft geschonken. Je moeder.'

'Voor Clara Lety,

We denken aan je en houden met heel ons hart van je. Ontvang de zegen van Hem die alles vermag. Je moeder.'

Het kostte soms moeite om naar het hele programma te blijven luisteren, want de confrontatie met de problemen van de anderen was een extra last die we moesten torsen. Veel mensen die berichten stuurden, waren verdrietig en neerslachtig en hadden kritiek op de regering en de FARC. We moesten dat dus een beetje van ons afzetten en relativeren, want anders raakten we alleen nog maar dieper in de put. Gelukkig kreeg ik uiteindelijk mijn kortegolfradio en kon ik die programma's afwisselen met die van Radio Católica Mundial of sportprogramma's. Ik volgde zelfs de formule 1-wedstrijden waaraan onze Colombiaanse kampioen Juan Pablo Montoya deelnam.

Hoe dan ook, programma's voor de gijzelaars hebben een belangrijke functie, en na mijn bevrijding heb ik aan een aantal keer meegedaan als dank aan de mensen die ze maken en als aanmoediging om ermee door te gaan. En ook om een groet te kunnen sturen naar degenen die nog steeds gevangen zijn. Ik wilde me solidair tonen met hun leed, dat ik maar al te goed ken. Daarom stuurde ik korte en positieve berichten, waarin ik mijn huidige blijdschap probeerde te uiten: ik wilde hen laten beseffen dat ook hun vrijheid binnen handbereik is en dat ze zich moeten blijven verzetten. Bovendien droeg ik een paar liedjes aan hen op die veel voor mij betekenen, zoals de vallenato van Jorge Zeledón en Jimmy Zambrano, waarmee de helikopterbemanning op de dag van mijn bevrijding me verwelkomde. De tekst luidt: 'Ik hou van de geur van de ochtend, ik hou van het eerste slokje koffie. Voelen hoe de zon opstijgt naar mijn raam en mijn uitzicht met een mooie zonsopgang vult. Ik luister graag naar de vrede in de bergen. Zie de kleuren van de namiddag. Voel onder mijn voeten het zand op het strand en het zoet van het riet. Als ik mijn vrouw kus, weet ik dat de tijd haast heeft, maar ik zeg tegen haar: "*Ay*, wat is het leven mooi!"'

En wie schetst mijn blijdschap toen ik een paar weken geleden militairen ontmoette die tijdens de operatie-Jaque bevrijd waren en tegen me zeiden dat ze dankbaar waren voor mijn berichten omdat die tijdens hun gevangenschap zo'n diepe indruk hadden gemaakt. Ik begon te lachen en zei: 'Daar deden we het voor!'

De andere vijand waar een gevangene mee te maken krijgt, is de angst, die ertoe leidt dat veel mensen zich overgeven aan tabak, eten of ledigheid. Wie niet door zijn angst verteerd wil worden, moet zijn best doen om creatief en gedisciplineerd te zijn en zich zo mogelijk aan een dagelijks activiteitenplan te houden. In het oerwoud mislukt dat makkelijk, en al helemaal omdat niemand iets zegt en niemand zich om je bekommert. Je moet zelf bepalen wat je wilt: de hele dag naar het plafond kijken of je tijd aan iets constructievers besteden.

Je opsluiting en gebrek aan bewegingsvrijheid scheppen veel angst. Voor mij is het altijd belangrijk geweest om oefeningen te doen, maar in het oerwoud werd dat iets fundamenteels, bijna een zaak van leven op dood, want juist dat hielp me om mijn spanningen van me af te zetten en mijn angst in bedwang te houden. Daarom liep ik elke dag drie kwartier, al was het maar rond mijn caleta. In sommige perioden liep ik zelfs vier uur zonder van mijn plaats te komen! Ik ging ook wel eens zitten en bewoog dan mijn benen alsof ik in de sportschool op een fiets zat. En als ik kon hardlopen, deed ik dat, vooral als ik in een kamp zat waar ze een baan voor me maakten. Gemiddeld deed ik vijf of zes keer per week oefeningen, soms zelfs dagelijks.

En daarna kwam het langverwachte moment van het bad, waarvan ik altijd bijzonder genoot, vooral toen ik nog mocht zwemmen. Later was het alleen al rustgevend als ik me waste door bakjes water uit een emmer over me heen te gooien. Eerst waste ik mijn kleren en daarna nam ik zelf een bad. Dat waren de heerlijkste momenten van de dag. Bij het aankleden improviseerde ik een hokje van bladeren, stukken plastic of de handdoek om een klein beetje privacy te hebben. Ik probeerde altijd in mijn eentje te baden, alleen maar om van de rust te genieten. Ik geloof dat ik in de bijna zes jaar van mijn gevangenschap in tachtig procent van de gevallen alleen heb gebaad. De andere keren deden we dat als groep, vooral als we onderweg waren. Ze stuurden ons dan om beurten naar de rivier, maar ook dan probeerde ik een van de laatsten te zijn. Als we doornat van het zweet aankwamen, sprongen we vaak aangekleed de rivier in om tegelijkertijd onze kleren te wassen. Een van de gevangen militairen beklaagde zich zelfs een keer tegenover de guerrillero's over het feit dat ik niet met de anderen wilde baden. Ik moest erom lachen en zei dat ik absoluut niet bang was voor een eenzaam bad; ook hij had in het leger ongetwijfeld geleerd om alleen in bad te gaan en de vrouwen te respecteren. En het is inderdaad zo dat de commandanten nooit over mijn gewoonte klaagden.

Na het bad had ik meestal trek en at ik alles wat ze me voorzetten, hoewel er ook tijden waren dat ik minder eetlust had. De maaltijden waren heel simpel, maar het viel me altijd op dat de pannen waarin ze het eten kwamen brengen, schoon waren. Ik vond dat van het grootste belang. Het leek mij een bewijs van fatsoen dat de FARC er waarde aan hechtten. Toen we in groepsverband gevangenzaten, brachten ze drie pannen met eten voor allemaal, inclusief Emmanuel toen hij nog bij mij was. Voor het ontbijt kwam er een pan met maïsbroodjes, een pan met soep en een pan met chocolade, zonder iets erbij of met melk. Het middagmaal bestond uit witte rijst met bonen, linzen of erwten – dat wisselde per dag. Bovendien kwam er een pan met drinken, meestal bestaande uit water met suiker of een kleurstof. En 's avonds gaven ze ons witte rijst, maar meestal spaghetti. Bij uitzondering lieten ze ons stukjes apen- of poemavlees proeven, maar die vond ik erg taai. Vaker kregen we kaaiman te eten. De guerrillero's noemden dat vlees *cachirrí*. Dat is werkelijk heerlijk en lijkt op kreeft. 's Avonds stond ook wel eens tonijn of sardines uit blik op het menu, en soms was er vis uit de rivier.

Als de maïsbroodjes, soep of chocolade erg vettig waren – wat meestal het geval was – raakte ik ze niet eens aan. Ik herinner me dat de commandant in de laatste drie jaar van mijn gevangenschap minstens eens per zes maanden tamales (een soort maïspasteitjes) voor ons liet maken, en af en toe verrasten ze ons met een bijzondere drank, zoals avena, colada of dunne rijstpap.

In het laatste jaar van mijn gevangenschap waren er twee

heel bijzondere maaltijden. De eerste vond plaats in december 2007. We kregen toen allemaal een halve gebraden kip, wat midden in het oerwoud een echte feestmaaltijd is. Ze maakten zelfs natilla (een soort vla) en als drank een licht alcoholisch mengsel van rijst en suikerwater. Op een andere dag – ik weet niet meer precies wanneer het was, maar het was kort voor mijn bevrijding – kregen we een jong wild varkentje (*cajuche*) uit de oven met yuca. Beide keren waren de porties zo groot dat ik ze niet op kreeg en er meerdere keren van kon eten. Om het vlees niet te laten bederven zette ik het bord in een zak met water. Zo bleef het koel en was het een dag houdbaar.

We hadden als gevangenen de ietwat masochistische gewoonte om heel gedetailleerd over onze lievelingsgerechten te praten. Ik had het dan graag over ajiaco met kip. Die soep is een specialiteit van de savanne van Bogotá maar is in het oerwoud eigenlijk niet klaar te maken omdat daar de verschillende aardappelrassen uit koude streken niet te krijgen zijn. We herinnerden elkaar ook – het water liep ons daarbij in de mond – aan de smaak van kappertjes, maïskolven, avocado's, room, brood, curubapuree en tal van andere lekkernijen die we in het oerwoud nooit te eten zouden krijgen. En alsof dat allemaal nog niet genoeg was, staken we ook de loftrompet over onze favoriete restaurants en hun specialiteiten. Ik vertelde dan graag hoe bepaalde gerechten worden klaargemaakt, en probeerde de herinnering eraan levend te houden om ze niet te zijn vergeten wanneer ik weer vrij zou rondlopen.

Tijdens die gastronomische gesprekken leverden we ook commentaar op de maaltijden die we voorgezet kregen. Dat was een manier om de tijd te doden. We deden net of we deskundig waren op dat gebied en bespraken als echte critici of de gerechten die we kregen niet te koud of te warm waren, te zout of te flauw, of de rijst wel goed gaar was... Een van de proble-

men in het oerwoud is dat de korrels vanwege het vocht een bepaald smaakje krijgen, en om die bijsmaak kwijt te raken doen
ze veel zout in de maaltijden. Ook het vlees wordt sterker ge-
zouten dan nodig is om het niet te laten bederven. Ik gaf mijn
portie vaak aan wie het wilde, hoewel het vlees een begeerde
trofee was. Ik hield meer van vis, vooral als die op een simpele
manier was klaargemaakt. Een ander probleem in het oerwoud
zijn de vliegen in het eten en vooral in het drinken. Dat was
voor mij een enorme schok. Sommige mensen liet het koud. Die
slikten deze insecten gewoon door, maar dat heb ik nooit ge-
kund.

Toen ik na mijn bevrijding in Bogotá aankwam, vierde mijn
familie mijn komst in het huis van mijn broer met een heerlijke
ajiaco. En ik was heel blij dat ik er mijn zoon Emmanuel met
smaak van zag eten.

17

De tijd verdrijven

Hoe meet je in gevangenschap het verloop van de tijd?

Voordat ik ontvoerd werd, was ik de slavin van mijn horloge. Ik probeerde mijn tijd zo goed mogelijk te organiseren en las er zelfs boeken over. Mijn leven was tot op de seconde nauwkeurig geprogrammeerd. Als ik na een inspannende dag uitgeput thuiskwam, ging ik slapen met het gevoel dat ik gewoon niet genoeg tijd had om alles te doen wat ik wilde. Altijd knaagde het gevoel dat ik nog iets moest afmaken. En in mijn gesprekken met vrienden en kennissen vormden klachten over mijn tijdgebrek een terukerend element.

Na mijn ontvoering moest ik onder ogen zien dat ik alle tijd van de wereld had maar er niets mee kon doen. Nooit eerder heb ik een zo scherp gevoel van tijdverlies gehad als in de eerste maanden van mijn gevangenschap. Voor mij was dat een afschuwelijk, existentieel conflict, want ik had het idee dat mijn leven tussen mijn vingers wegglipte. Het was alsof ik mijn jeugd in dat oerwoud moest begraven.

Ik kon volstrekt niets productiefs doen maar ook niet denken dat ik ziek was en moest herstellen. Het was natuurlijk van belang dat ik een dagelijkse routine van gezonde activiteiten ontwikkelde – vroeg opstaan, naar het toilet gaan, mezelf verzorgen, baden, mijn omgeving schoon houden, mijn kleren wassen, aan mijn familie denken, enzovoort – maar in de toestand waarin ik me bevond en waarin ik van alles beroofd was, was het heel moeilijk om mijn tijd prettig of constructief te gebruiken. Het drong algauw tot me door dat mijn bijzondere situatie een extra inspanning van mijn hart en ziel eiste om bezig te blijven. Al een paar dagen na mijn ontvoering vroeg ik de guerrillero's om een schrijfblok en een balpen, maar ik had al heel gauw nieuwe nodig. Alleen al in de eerste anderhalf jaar schreef ik meer dan acht schrijfblokken van steeds honderd bladzijden zonder witregels en ruimte tussen de zinnen vol. Ik schreef zelfs op de verpakkingen van het toiletpapier. Het was een soort dagboek over alles wat door mijn hoofd ging. Toen ik nog alleen was, leverde ik ook commentaar op nieuwsberichten die ik hoorde of heel soms las, en schreef ik samenvattingen van mijn bijbellectuur. Het was een dagboek over alles wat ik zag en voelde. Bij een verhuizing naar een ander kamp waren ze te zwaar om mee te nemen en kon ik niets anders doen dan ze verbranden. Maar daarna hervatte ik die gewoonte totdat ze me geen schrijfblokken meer gaven omdat ze genoeg hadden van mijn brieven aan Marulanda en de andere leden van het FARC-secretariaat met het verzoek om mijn zoon in vrijheid te stellen.

Maar zolang ik er de kans toe kreeg, schreef ik wat ik kon. Ik probeerde ook te gaan schilderen. Een paar keer begon ik een Engels-Spaans woordenboek dat ik geleend had, woord voor woord over te schrijven, maar ik vermaakte me ook met worteltrekken en herhalingen van de tafels van vermenigvuldiging. Dat waren fantastische mentale oefeningen, en daaraan wijdde ik me 's ochtends. Ik had zelfs een tekst klaar voor het geval dat ze me om een levensteken zouden vragen. Het was een bericht aan mijn moeder dat ik af en toe herzag en bijwerkte. Ik vertelde erin hoe het met me ging, beschreef hoe ze mijn zoon moest laten dopen en zei waar hij naar school moest gaan.

Toen ik geen papier en balpennen meer had, vroeg ik naalden om te naaien, te borduren en te breien. Daarmee maakte ik een ceintuur voor mijn zoon. Ik leerde zulke dingen ook handmatig te knopen, zoals de guerrillero's deden als ze riemen maakten die ze om hun middel deden en waarmee ze hun bepakking dichtbonden. Een guerrillero liet me zien hoe het moest, en ik maakte er een voor mijn moeder. Dat was geen makkelijk karweitje, maar het lukte, en de ceintuur voor mijn zoon had ik bij me toen ik bevrijd werd. Met veel inspanning borduurde ik ook een tafellaken van zestig centimeter breed. Het kostte me talloze uren, maar ik liet het als levensteken zien op de video die in 2003 werd opgenomen. Ik gebruikte het ook samen met mijn zoon bij het eten, maar helaas was ik het bij mijn bevrijding alweer kwijt.

Ik ging mettertijd beseffen dat die werkzaamheden heel goed voor mijn geestelijke gezondheid waren. Ze eisten zo veel concentratie dat mijn pessimisme geen kans kreeg. Het gaf bovendien altijd een heel bevredigend gevoel om iets af te maken: ik had iets gepresteerd, en daar was ik trots op. Mijn werkzaamheden slokten me meestal zodanig op dat ik er geestelijk van groeide.

Ik verstelde ook mijn kleren die kapotgingen, maar dat ging me niet echt goed af. Mijn steken waren te groot, en ik denk dat je dat kunt vergelijken met wat er gebeurt als je schildert: je streek is dan een uiting van je ziel. Omdat ik me inwendig tegen mijn gevangenschap verzette, kon ik niet met kleine steken naaien. Als ik me heel goed ontspande, ging het iets beter, maar dat lukte alleen bij hoge uitzondering. Toch had ik geen andere keus dan het gewoon te doen, want de weinige kleren die we hadden, moesten we goed verzorgen. Ik probeerde ook de ransel voor mijn spullen en mijn andere benodigdheden in goede staat te houden. Voor mij was dat een echte leerschool.

In het kamp werd ook gekaart, maar het was een hele prestatie om een pak kaarten te pakken te krijgen, en ik was te lui om er moeite voor te doen. Ik ging liever schaken of dammen. Maar als iemand me een spel kaarten leende, speelde ik patience. Ik mocht af en toe de kaarten van de drie Amerikanen gebruiken, en zij leerden me het spel 'banca rusa'. De laatste drie jaar leerde ik ook bridgen van de politiemensen, die het spel uitstekend beheersten. Het leukste vond ik 'king', een spel voor vier personen, dat zij de hele dag speelden. Ik wilde me niet opdringen aan een vaste ploeg en ook niet wedden. De anderen wedden erom wie de vaat moest doen, en omdat zij veel beter speelden dan ik, liep ik het risico de hele dag te moeten afwassen. Dat vond ik geen opwekkend vooruitzicht. In het algemeen wonnen steeds dezelfden, en ik deed alleen bij uitzondering mee om wat contact met de andere gevangenen te hebben.

Een van mijn medegevangenen was een genie met dobbelstenen en speelde graag mens-erger-je-niet. Daarbij werd gewed om een maïsbroodje, en dat vond ik niet zo erg, maar ik vond het ook een saai spel en deed niet vaak mee.

In het kamp hadden we veel vrije tijd. Veel te veel uren hadden we niets te doen, en dat leidde tot gesprekken die vaak neerkwamen op een uitwisseling van kritiek en roddels of het afkammen van anderen in het kamp. Zoals wij in Colombia zeggen: 'Klein volk, grote hel.' Ik deed er liever niet aan mee, want ik vond zulke gesprekken negatief en irritant.

Af en toe, maar minder vaak dan ik wenste, kregen we een paar boeken en tijdschriften. De commandanten stelden die dan ter beschikking van de groep, en wie wilde, kon ze lezen. Ik verslond alle boeken die ik in handen kreeg. In het kamp van Martín Sombra waren er zelfs meer dan elders, en dat werd een jaar waarin ik veel las. Ik herinner me boeken van Jules Verne,

Gabriel García Márquez, Enrique Santos en zelfs vande Colombiaanse karikaturist Vlado. De tijdschriften las ik van de eerste tot de laatste letter, inclusief de advertenties, aankondigingen en kleine annonces. Dat ging toen heel anders dan tegenwoordig, want sinds mijn bevrijding heb ik een tijdschrift nog niet eens bekeken of het volgende ligt alweer klaar.

Ik las vaak hardop. Dan ging ik in een hoekje zitten om naar mezelf te luisteren. Het leek me nuttig en belangrijk om op die manier te oefenen om op de juiste momenten stiltes in te lassen en mijn blik te heffen, omdat het in de toekomst weer nodig kon zijn om een publiek toe te spreken. Ik weet nog dat ik een parlementaire studie over armoede en onderwijs in Colombia in handen kreeg. Het boek was duizend bladzijden dik en niet erg up-to-date, maar evengoed las ik het van begin tot eind hardop. Sommige andere gevangenen ergerden zich eraan, vonden het storend en beklaagden zich bij de commandanten. Een van hen zei tegen me: 'Luister, Clara, als je leest, lees dan in stilte, want die mensen worden er gek van.'

Een andere activiteit waarvan ik veel hield en waaraan ik zo veel mogelijk tijd besteedde, was tuinieren. Ik bewaarde een paar pitten uit sinaasappels die ze ons een keer gegeven hadden, en die droogde ik. In een hoekje van het kamp bereidde ik de grond voor en plantte ik ze. In de tijd voor mijn bevrijding heb ik inderdaad diverse sinaasappelboompjes zien groeien. De herinnering daaraan nam ik bij mijn vertrek mee, samen met de aanblik van een avocadoboompje van ongeveer een meter hoog.

Een ander tijdverdrijf was dat ik de plek die ze me toewezen, zo goed mogelijk inrichtte. En dat deed ik steeds als we in een nieuw kamp kwamen – met schoffels of kapmessen, als ze ons die leenden, of anders met stokken. Ik maakte alles altijd zo netjes mogelijk. Om de modderbaden te voorkomen die bij elke regenbui ontstonden, moest de grond met geultjes worden afgewaterd. En ik vond het leuk om er dan later een bankje en een eettafel neer te zetten. Elke verhuizing greep ik aan om mijn bescheiden omgeving op te fleuren.

Om de maand of twee maanden liet ik mijn haar knippen. Daarmee bestreed ik mijn verveling en bevorderde ik vooral ook mijn zelfrespect. Ik probeerde het een paar keer zelf te doen, maar omdat ik dan een heel ongelijkmatige coupe kreeg, hield ik daarmee op en liet ik het doen door een medegevangene of door een van de guerrillero's die ook de rest van de groep knipte.

Het klinkt misschien ongelooflijk, maar in de laatste twee jaar van mijn gevangenschap kregen de vrouwen als onderdeel van hun toiletspullen zelfs oogschaduw en nagellak. Ik vond het van belang om ze goed te benutten, vooral de nagellak, omdat ik mijn nagels graag verzorgde. De laatste nagellak die ze ons gaven, zal ik nooit vergeten, want die glinsterde als rijp. Ik vond het prachtig. In donkere nachten kon ik dankzij die glans mijn handen zien. En ik stelde me voor dat die opvallende nagellak in het geval van een tragische afloop de identificatie van onze lijken vereenvoudigde.

18

Moederschap

Tot begin 2006 wist niemand in Colombia dat ik in gevangenschap een kind had gekregen. De journalist die dat onthulde, baseerde zich op weinig harde details en gegevens en vulde zijn verhaal aan met fictie, zoals hijzelf toegaf.[31] Ik citeer hier wat hij tijdens een interview[32] in het tijdschrift *Semana* zei: 'De zoon van Clara Rojas is tastbare werkelijkheid, loopt rond en is twee jaar.'

Sindsdien wemelt het van de geruchten en op niets berustende berichten in reportages, interviews en nieuwe boeken waarin van alles wordt beweerd. Anderen hebben het verhaal proberen te reconstrueren op basis van uitsluitend speculaties. Er is gesproken over drama's en liefdesgeschiedenissen. Slechts één element van dat alles is waar: ik heb inderdaad in gevangenschap een kind gebaard. Dat staat vast. Al het andere is verzonnen.

Het is mijn taak om te beslissen wat ik over mijn geschiedenis openbaar wil maken en wat niet. Deze episode behoort uitsluitend tot mijn persoonlijke levenssfeer. Alleen mijn zoon Emmanuel krijgt daar toegang, wanneer hij erom vraagt. Dat moment is nog niet gekomen. Het enige dat ik erover zeggen wil, is dat er tijdens mijn gevangenschap iets gebeurd is waardoor ik zwanger ben geraakt. Mijn echte liefdesgeschiedenis begon toen ik ontdekte dat ik een kind verwachtte en besloot om zijn leven te redden.

Mijn grootmoeder was een vrouw van *raca-mandaca*, zoals de Colombianen zeggen van vrouwen met veel karakter, lef en besluitvaardigheid. En ze zei ooit iets wat ik als klein kind van haar onthouden heb, samen met veel andere uitspraken van haar: 'Je kunt beter één keer in je leven verbleken dan je leven lang kleurloos zijn.' Ofwel: 'Gedane zaken nemen geen keer', wat in haar geval ongeveer op hetzelfde neerkwam. En met deze korte opmerking begint de geschiedenis die mijn leven echt veranderd heeft.

In augustus 2003 dwongen de guerrillero's Ingrid en mij opnieuw tot een mars om elders in het oerwoud naar een ander kamp te verhuizen. We hadden geen idee waar ze ons naartoe brachten. Ze lichtten ons nooit over iets in maar zeiden dan alleen dat we onze spullen moesten pakken om hen te volgen. Lange boottochten werden steeds afgewisseld met zware marsen. Ik droeg alleen een kleine ransel met een paar spullen die weinig wogen maar als lood op me drukten. De rest van mijn bezittingen (klamboe, hangmat, kleren...) droegen de guerrillero's in een stuk zeildoek. Soms bleven we ergens een paar dagen, maar dan trokken we weer verder. Door mijn vermoeidheid werd het een loodzware tocht, en ik voelde me eenzaam en onzeker omdat ik niet wist waar we naartoe gingen. Om alles nog erger te maken kreeg ik in die periode veel last van diarree, en bij het wakker worden leed ik aan een soort incontinentie van mijn urinewegen waardoor het me zelfs moeite kostte om de latrine te bereiken. Ondanks die kwalen moest ik blijven lopen totdat we half oktober eindelijk een kamp bereikten dat onder bevel stond van Martín Sombra. We waren daar onder de hoede van het front dat door Mono Jojoy geleid werd. Er waren 28 gevangenen geconcentreerd en de groep bestond uit 28 militairen en soldaten en tien burgers. De guerrillero's hadden daar midden in het oerwoud een groot kamp gebouwd met twee reusachtige kooien die op de binnenplaats van een gevangenis leken en door ijzeren tralies gescheiden waren. In de ene zaten de geüniformeerde gevangenen, in de andere de burgers.

We begroetten onze nieuwe medegevangenen vriendelijk, maar bij de geüniformeerden kon dat alleen via het hek. Ik kende niemand van hen persoonlijk en had ook nooit iets over hen gehoord, hoewel sommigen ervaren politici waren. Het verbaasde me dat ook Ingrid hen niet kende.

In de twee omheinde ruimtes waar we gevangenzaten, hadden ze een soort houten barak neergezet, en de zijmuren bestonden voor de helft uit gaas voor de ventilatie. In de onze stonden vijf stapelbedden, en ik kreeg het bovenste bed van een ervan toegewezen. Daar was weinig licht, en het kostte veel moeite om het trapje op en af te klimmen, vooral toen mijn zwangerschap verder gevorderd was. Het verbaast me nog steeds dat ik nooit gevallen ben bij de keren dat ik 's nachts naar het toilet ging.

De verhouding met de andere gevangenen was in principe hartelijk, maar ik merkte een zekere afstandelijkheid tussen ons en had het gevoel dat ze hun gedachten altijd voor zich hielden. Toch bespraken we af en toe de nieuwsberichten of een actueel onderwerp waarover we iets gehoord hadden. Met sommigen kaartte of schaakte ik. Dat gebeurde heel zelden, maar het was een tijdverdrijf. In werkelijkheid zat ik het grootste deel van de dag te lezen. In dat kamp waren boeken, en ik greep de kans aan om ze te lezen.

Ik zat al een paar maanden in het nieuwe kamp, toen ik misselijk begon te worden en bovendien aankwam. De vraag rees of ik soms zwanger was, en dat besprak ik met een paar medegevangenen, die me adviseerden om met de guerrillero's te gaan praten. Zij waren immers verantwoordelijk voor mijn ontvoering en bovendien de enigen die iets voor me konden betekenen. Dat was natuurlijk waar, maar hun antwoord wekte de schijn dat ze zich er niet mee wilden bemoeien en er niets mee te maken wilden hebben, en dat gaf een vieze smaak in mijn mond. Ik voelde me er heel eenzaam door.

Een paar dagen later besloot ik een gesprek aan te vragen met Martín Sombra, die me op een middag na het eten bij zich liet komen. Een paar guerrillero's brachten me naar de plaats waar hij was, en onderweg viel mijn blik op een grote vergaderzaal en een soort eetzaal waar plaats was voor minstens tweehonderd mensen. Martín Sombra zat aan een tafel met een computer in een soort overdekte ruimte, die door een hek in tweeën werd verdeeld. Daarachter lagen veel zakken, en ik nam aan dat er voedsel in zat. Naast hem stond een kast en hing een kaart van Colombia van wel twee meter hoog. Toen hij me zag binnenkomen, stond hij op om me een hand te geven. Hij was een indrukwekkende man – niet erg lang maar wel behoorlijk zwaar en met een harde blik in zijn ogen. Hij liet me plaatsnemen en vroeg om koffie met gecondenseerde melk en brood. Ik had geen honger omdat ik net gegeten had. Hij vroeg: 'Doña Clara, waar zit je mee?' Ik antwoordde dat ik me zorgen maakte omdat ik zwanger kon zijn. Hij liet een jonge verpleegster komen. Het meisje was een jaar of vijfentwintig of misschien iets ouder, en was opmerkelijk knap op de manier van de populaire Colombiaanse actrice en mannequin Amparo Grisalles.[33] Ze bekeek mijn buik en zweeg. Daarop vroeg Martín Sombra haar om een zwangerschapstest te regelen. Tegen mij zei hij dat ik de volgende ochtend op mijn nuchtere maag een urinemonster moest verzamelen; hij zou me dan laten roepen. Zijn manier om de zaak aan te pakken – zonder enige neiging tot praatjes en verhalen – verraste me. Bij mijn vertrek gaf hij me een paar pakjes wafels en twee blikjes gecondenseerde melk.

Ik kon die nacht van onrust niet slapen. Bevorderlijk voor een gezonde slaap was evenmin het feit dat de bewakers de gewoonte hadden – vermoedelijk om ons eraan te herinneren dat ze gewapend waren – om hun geweren te laden en te ontladen, wat een hels lawaai maakte. De volgende dag was het 18 december 2003. Ik zal die dag nooit vergeten. Martín Sombra liet me al vóór zeven uur 's ochtends komen. Ik had mijn urinemonster klaar, en ze brachten me naar de plaats waar ik de middag daarvoor geweest was. Daar zaten de verpleegster en de commandant te wachten. Zodra hij me zag, vroeg hij zonder omhaal of ik de urine bij me had. Ik moest naast hem gaan zitten, en aan de andere kant zat de verpleegster. Ze gaven me het papiertje van de zwangerschapstest, dat ik moest openmaken om er de urine overheen te gieten. Als het rood werd, was dat volgens de gebruiksaanwijzing een teken dat ik zwanger was, en langzamerhand werd het inderdaad rood. Ik kreeg het koud en kon niet verhinderen dat er tranen in mijn ogen sprongen. Ik was natuurlijk gelukkig. In het leven van een vrouw is het vooruitzicht op een kind iets belangrijks. Maar een kind baren in het oerwoud? Ik voelde me er enorm door beklemd. Hoe kon ik dat onder ogen zien?

Toen ik nog vrij was, had ik overwogen om een kind te nemen. Ik had altijd graag moeder willen zijn en een gezin willen stichten, maar daar was om allerlei redenen nooit iets van gekomen. Al enige tijd besefte ik dat mijn biologische klok doortikte. Toen ik zwanger bleek te zijn, besefte ik dan ook dat dit misschien mijn laatste kans was om mijn ideaal van het moederschap te verwezenlijken, hoe onwaarschijnlijk en gevaarlijk de situatie ook was. De gedachte dat ik het kind ook niet kon willen, zette ik meteen van me af. In normale omstandigheden zou ik geen moment geaarzeld hebben en zijn doorgegaan met mijn zwangerschap. Waarom dan niet in gevangenschap? De omstandigheden waren natuurlijk allerminst ideaal. Er waren grote gevaren, zowel voor mij als voor het kind, maar als ik dat risico op dat moment niet nam, kreeg ik er waarschijnlijk later spijt van.

De verpleegster en Martín Sombra feliciteerden me en betuigden me hun steun. Hij adviseerde me om poema-olie op mijn buik aan te brengen. Dat is een olie die ze aan dat dier onttrekken en tegen alle mogelijke aandoeningen gebruiken. En inderdaad liet hij een guerrillera me verschillende keren met die olie insmeren.

Ik vroeg hem om me uit het oerwoud weg te halen en me op z'n minst naar het dichtstbijzijnde medische centrum te sturen om de bevalling deskundig te laten begeleiden, ook al betekende dat een mars van verscheidene dagen. Ik legde uit dat een bevalling in gevangenschap gevaarlijk was voor het kind en voor mij. Als vrouw uit de stad kon ik zoiets niet onder ogen zien, en zeker niet als bijna veertigjarige die nog haar eerste kind moest krijgen. Toen ik merkte dat hij er niet op inging, smeekte ik hem om me minstens door iemand van het internationale Rode Kruis te laten helpen. Ik was doodsbang. Martín Sombra probeerde me een hart onder de riem te steken door bij mijn vertrek tegen me te zeggen: 'Clara, maak je geen onnodige zorgen. We laten jou niet sterven en je kind evenmin. En vergeet niet dat het jouw kind is. Je kunt er als een woeste tijgerin voor zorgen.'

Toen ik weer bij de groep terug was, zaten de meeste medegevangenen ongeduldig het resultaat van de test af te wachten. En het was voor hen net zo'n grote schok als voor mij toen ze hoorden dat ik zwanger was. Toch waren we pas een paar maanden in elkaars gezelschap, en eigenlijk hadden we heel weinig met elkaar gedeeld. Ze konden zich nauwelijks echt betrokken voelen bij mijn nieuwe toestand en konden me ook de steun niet geven die ik nodig had. De enige die ik echt vertrouwde, was Ingrid, maar helaas voor mij maakte ze op dat moment een slechte periode door. Bovendien bestond er al een maandenlange verwijdering tussen ons en ging ze niet vertrouwelijk met me om, wat niet wegnam dat ze me wel bij kleine dingen hielp, bijvoorbeeld door babykleren te naaien. Hoe dan ook, ze gedroeg zich niet als een zus, en juist dat wilde ik en had ik nodig in die zo moeilijk te verwerken situatie. Ze bevorderde ook geen vriendschappelijke sfeer waarin ik dingen kon vragen, iets wat ik graag gedaan zou hebben, want uiteindelijk werd dit pas mijn eerste kind terwijl zij er al twee had. Toen ik haar bezorgd vertelde dat ik zwanger was, zei ze alleen: 'Welkom bij de club.' Ik vond het sarcastisch klinken alsof het moederschap een last was. Een welkom in een rozentuin was het niet bepaald. Haar kille houding tegenover mij was zonder enige twijfel een voorbeeld voor andere leden van de groep, die een zekere agressie tegen mij gingen vertonen (en dat voor een deel nog steeds doen) in de hoop op die manier bij Ingrid in een goed blaadje te komen.

De mannelijke gevangenen brachten me op een ochtend in het nauw. Ze dwongen me om te gaan zitten, ondervroegen me als een soort inquisiteurs en wilden weten wie de vader van mijn kind was. Ze bestookten me met opmerkingen zoals: 'Als je het ons niet vertelt, kunnen onze families er last mee krijgen,' en: 'Je bent onverantwoordelijk bezig.' Ik merkte hoe gespannen ze waren en hoe graag ze wilden weten wat er was gebeurd. Om het populair te zeggen wilden ze weten wie me een beurt had gegeven. Ik vond het zielig gedrag. Ze zullen wel bang zijn geweest dat iemand zou denken dat een van hen de vader was. Of anders waren ze bang dat ze vermoord gingen worden, hoe onlogisch dat ook was. Ik luisterde, bleef kalm als altijd en kaatste hun vraag terug: 'Is een van jullie de vader?' Dat ontkenden ze stuk voor stuk. Daarop zei ik: 'Heel goed. Waarom zijn jullie dan zo bezorgd? Laat mij gewoon met rust. Ik ben alleen verantwoordelijk voor mijn kind.'

Het is waar dat ze in die gespannen toestand als hyena's reageerden zonder echt om mij of mijn kind te geven. Vanaf dat moment probeerden ze die agressieve en overdreven houding te laten varen, maar bij sommigen bleef een restant daarvan achter, en het kwam tot meer dan één onaangenaam incident. Hoe dan ook, niemand kwam op het idee om te eisen dat ik vrij werd gelaten zodat ik in betere omstandigheden kon bevallen, of dat ze me naar het dichtstbijzijnde medische centrum brachten. In die moeilijke situatie probeerde ook niemand me te helpen of te steunen, hoewel sommigen veterinaire kennis hadden of bij de bevalling van hun echtgenote aanwezig waren geweest. Het enige wat hen bezig hield, was de mogelijkheid dat ik overleed en dat zij daarvan de schuld konden krijgen.

Sommige vrouwen gedroegen zich alsof de situatie hen niet aanging, hoewel ze moeder waren en konden begrijpen wat ik doormaakte. Ze gaven me ook niet de kans om vertrouwelijk met hen te praten, iets waarvoor ik heel dankbaar zou zijn geweest. Ze zullen wel gedacht hebben dat ik een heel onafhankelijke persoon was, en misschien hadden ze wel gelijk. Ik besloot niets van hen te vragen. In de loop van de zwangerschap hebben ze overigens wel kleren voor het kind genaaid. Een van hen zei een keer met grote stelligheid: 'Clara, je hoeft helemaal geen medische hulp te hebben, want zwangerschap is geen ziekte.' Dat kwam keihard aan, en ik antwoordde: 'Zwangerschap is natuurlijk geen ziekte maar eist wel medische zorg, zelfs gespecialiseerde medische zorg, want anders kun je niet verklaren waarom het grootste aantal sterfgevallen in Colombia vrouwen in het kraambed betreft, en waarom de hoogste morbiditeit wordt aangetroffen bij kinderen in de eerste twee levensjaren. Waarom krijg ik niet het recht op overleving en krijgt mijn kind niet de kans om geboren te worden?'

Die Kerstmis bracht ik door in het gezelschap van de gevangenen. De sfeer was triest en onaangenaam. Het enige plezierige moment kwam op 24 december om twaalf uur. Ik zat op een stoel te naaien maar was zo verdiept in mijn werk dat ik niet eens hoorde wat er op de radio gezegd werd, totdat iemand me riep en naar het toestel wees omdat ik ernaar moest luisteren. Ik draaide me nog op tijd om en hoorde de stem van mijn broer Iván. Die had ik al zo lang niet gehoord dat ik hem niet herkende. Hij was die ochtend naar Caracol Radio gegaan om me de volgende kerstboodschap te sturen: 'Clary' – zo noemen mijn broers me – 'we wachten op je. Zalig kerstfeest!' Ik was zo geëmotioneerd dat ik begon te huilen. Ik voelde me in mijn gevangenschap heel eenzaam. En daarom was het een bijzonder emotioneel moment toen ik een paar bemoedigende woorden van een dierbare hoorde. Maar eigenlijk was het geen huilen maar snikken wat ik deed. Een van de vrouwen kwam naar me toe om te zeggen dat ik tot rust moest komen omdat mijn gehuil niet goed was, noch voor mij noch voor het kind. En ik antwoordde dat het vreugdetranen waren die heus wel over zouden gaan.

's Nachts praatte ik zachtjes met mijn kind en probeerde aan de mooiste dingen te denken die bij me opkwamen. Ik wist niet of het een jongen of een meisje was, maar dat maakte me ook niet uit. Het waren mooie momenten, want mijn kleintje en ik waren heel innig samen. We droomden en overwogen hoe we samen een beter leven zouden opbouwen als we deze hel achter ons hadden gelaten. En wanneer ik hem tegenwoordig 's avonds naar bed breng en met hem bid, geloof ik dat die momenten voorafgaand aan zijn geboorte essentieel zijn geweest, want ze hebben een heel sterke band tussen ons gesmeed en me geholpen om de weg te effenen die we tegenwoordig bewandelen.

Naarmate mijn zwangerschap vorderde, raakte de sfeer tussen de gevangenen in het kamp steeds meer gespannen. Ik was overigens beslist niet de enige die problemen had in de omgang met de rest. De plaats waar we gevangen werden gehouden, was te klein voor zo veel mensen met een zo verschillende achtergrond en zo verschillende gewoonten, en daarbij kwam nog de spanning van het feit dat het leger steeds dichter in de buurt kwam. We waren ons volkomen bewust van de mogelijkheid van een reddingspoging of een treffen met de guerrillero's, en in zo'n situatie konden we alles verliezen. De guerrillero's hadden de bewaking verdubbeld en passeerden elk moment met hun wapens in de aanslag. We bleven altijd waakzaam en hoorden 's morgens en 's middags voortdurend vliegtuigen overkomen. We waren heel schrikachtig, en te midden van al die onrust ontstaken de gevangenen om de kleinste dingetjes in razernij. Kwesties zonder enig belang, zoals de vraag wie eerder koffie kreeg dan een ander, konden een woordenwisseling veroorzaken, en het was meer dan eens noodzakelijk om mensen tot bedaren te brengen. Maar in mijn geval was alles nog erger: vanwege mijn zwangerschap was ik extra gevoelig, en wat de anderen zeiden, raakte mij dieper dan anders. Een van de gevangenen suggereerde zelfs om mijn kind te vergeten en aan de guerrillabeweging over te dragen of zelfs een vader te verzinnen alsof we nog in een ver verleden leefden. Ik had de indruk dat veel medegevangenen niet wilden dat ik bevrijd werd, en soms had ik zelfs het gevoel dat ze me levend wilden opeten. Hun gebrek aan tolerantie grensde aan wreedheid, en ze schijnen op een gegeven moment zelfs weddenschappen op mijn leven te hebben afgesloten.

De toestand werd zo ernstig dat de commandant het beter

vond om me van de groep te scheiden. Het moment van het afscheid was dramatisch, in elk geval voor mij. Slechts een van mijn medegevangenen bood aan om de tas waarin ik mijn spullen bewaarde, naar de poort te dragen – vanwege mijn eerdere vluchtpogingen had ik nog steeds geen echte bepakking gekregen. Sommige medegevangenen gingen naar de latrine om geen afscheid te hoeven nemen, anderen weigerden om even te blijven staan of de sigaret uit hun mond te halen om me fatsoenlijk gedag te zeggen. Iemand kwam huilend naar me toe alsof de dood me wachtte. Het was een emotionele toestand. Toen ik eindelijk de poort bereikte van het gedeelte waar ik gevangen had gezeten, wilde ik niet achteromkijken. Maar ik vertrok wel met de vaste wil om het te overleven, en daarvoor moest ik me boven dit gedoe verheffen.

Als ik er nu, een paar jaar later, nog eens op terugkijk, lijkt alles bijna anekdotisch en grappig omdat sommige mensen zich zo belachelijk gedroegen. Maar op dat ogenblik leed ik er zwaar onder en waren er momenten van hevige spanning die mijn leven en dat van mijn kind in gevaar brachten.

19

Emmanuel

De verhuizing naar mijn nieuwe, eenzame gevangenis vond eind januari 2004 plaats. Ik was toen ongeveer zes maanden zwanger. Ze brachten me naar een ander deel van hetzelfde kamp. Het lag aan de rand ervan, diametraal tegenover het gedeelte waar de andere gevangenen verbleven. Mijn onderkomen lag naast de zogenoemde *economato*, waar de guerrillero's hun voedsel opsloegen. Daar was ook een hok voor zo'n honderd grote boerenkippen plus een schuur voor twee immense varkens. De guerrillero's bouwden er een ruim hok dat met zeildoek was afgedekt. Er was plaats voor een bed, een tafel, een stoel en een paar planken om mijn spullen neer te leggen. Daarnaast hingen ze op anderhalve meter hoogte een kleine wasbak met twee houten emmers, en achter het hok was een latrine met een kuil om vuilnis weg te gooien. Ik had zo lang in een donkere omgeving opgepropt gezeten dat deze caleta me een hotelsuite met eigen badkamer leek. He eerste wat ik deed, was opruimen en mijn spullen neerleggen. De planken die ze hadden aangebracht om erop te slapen, waren breed en leken wel een kingsize bed.

Er was een ruimte afgescheiden om te kunnen lopen en mijn kleren in de zon te hangen, maar ik mocht niet in de buurt van de *economato* komen en moest bij de kippen en varkens vandaan blijven. Een van de wachtposten had de taak om voor de dieren te zorgen en liet daar niemand toe. 's Nachts werd ik bewaakt door een guerrillera die vijf meter van mijn *caleta* stond, en steeds als ik naar de latrine wilde, moest ik haar toestemming vragen. Er waren ook nog drie andere guerrillera's verantwoordelijk voor mij: de verpleegster, die elke dag rond zes uur 's middags kwam kijken hoe het ging en of ik iets nodig had; de vrouw die rond vier uur 's middags de emmers kwam controleren omdat er altijd water beschikbaar moest zijn; en de vrouw die de taak had om mijn maaltijden te brengen. Aan hen drieën bewaar ik goede herinneringen, want ik weet dat ze met me meeleefden en me zo goed mogelijk probeerden te verzorgen. Ze deden niets meer dan ze doen moesten maar waren vriendelijk zonder in mierzoet gedrag te vervallen, wat ik prima vond.

Mijn nieuwe routine stond algauw vast. Ik stond om een uur of vier op, ging naar de latrine, poetste mijn tanden en stak een kaarsje aan. Ze hadden me een hele zak vol kaarsjes gegeven, en daar was ik zo zuinig mogelijk op. Ik veegde mijn hokje en zorgde dat alles opgeruimd was voordat de nieuwe dag aanbrak, want dan bad ik graag een rozenhoedje. In die periode had ik weer eens geen radio en kon ik dus niet naar het nieuws luisteren, wat ik erg miste. Nog voor zes uur 's morgens kwamen ze een thermosfles heet water voor koffie met melkpoeder en brood brengen. Elke week gaven ze me een zak broden, en elke ochtend at ik er een op. Daarna rustte ik tot acht uur, waarna ik opnieuw een rozenhoedje bad, een half uur liep, kleren waste en mijn toilet verzorgde.

De rest van de ochtend bracht ik door met het naaien van luiers en babykleertjes van de lakens die ze me gegeven hadden, en een extra handdoek die ik bewaard had. Ik had al heel snel honger en at als een van de eersten, want zodra het eten klaar was, kwam de bewaakster het brengen. Omdat ik meestal niet alles opat, vroeg ik de bewaakster toestemming om de rest naar de varkens te brengen, en op die manier doodde ik weer wat tijd. Rond een uur 's middags rustte ik opnieuw en bad ik weer een rozenhoedje. Daarna liep ik nog wat en profiteerde ik van mijn eigen badkamer door nog eens te baden. Om vier uur 's middags kwam de laatste maaltijd van de dag, meestal bestaande uit suikerwater met een pannenkoek. Na afloop daarvan deed ik de vaat, en nog voor vijf uur 's middags had ik al mijn activiteiten van die dag achter de rug.

Ik had alle tijd en ruimte voor mezelf. Niemand rookte in mijn buurt en ik hoefde geen vreemde geluiden te verdragen. De stilte was er bijna volledig. Ik miste de radio weliswaar, maar genoot van de rust en van het feit dat ik in alle eenzaamheid kon baden, wat heel ontspannend was. Niemand viel me lastig en ik miste de andere gevangenen volstrekt niet. Ik wist niets over hen, want de vrouwen die me verzorgden, vertelden me niets. Dat gold ook voor de jongeman die af en toe de emmers kwam schoonmaken. Blijkbaar had niemand er zin in om me een bericht te sturen.

Vanuit mijn hokje hoorde ik het geluid van de bakkerij – in dit kamp werd zelf brood gebakken – als ze de gasmotor aanzetten. Soms hoorde ik iemand een liedje met gitaarbegeleiding zingen. Waar ik soms wel veel last van had, was het geluid van de wind, want die bracht de takken van een paar bomen op zo'n manier in beweging dat er een angstaanjagend gehuil ontstond alsof het bos betoverd was. Ik vroeg de guerrillero's zelfs om een stel takken af te zagen.

Elke dag hoorde ik 's morgens en 's middags het gedreun van de vliegtuigen en helikopters die over het oerwoud vlogen. Ik zat altijd klaar om de kleren aan te trekken die ik te drogen had gehangen, vooral omdat ik in die periode een paar rode T-shirts met lange mouwen had die veel aandacht zouden hebben getrokken. Ik wist heel goed dat het leger in de buurt was, en hoewel ik mijn kalmte probeerde te bewaren, werkte dat voortdurende gedreun van de vliegtuigen ontwrichtend omdat ik ging vrezen dat elk moment een militaire operatie kon beginnen. De Colombiaanse journaliste Jineth Bedoya vertelt in haar boek *Las trincheras de Plan Patriota*[34] dat het leger op zoek was naar Mono Jojoy, en heel goed wist dat ik op het punt stond om van Emmanuel te bevallen, en ons kamp gelokaliseerd had. Later kwamen we erachter dat ze er zelfs geweest waren maar pas toen wij alweer waren vertrokken.

Als ik heel realistisch nadacht, sprak alles in mijn nadeel: de mogelijkheid van een komende militaire operatie, het gebrek aan affectieve steun, de afwezigheid van boodschappen en berichten, de afwezigheid van een arts in het kamp en het feit dat de kans op een goede medische verzorging nihil was.

Meer dan eens overwoog ik te ontsnappen. Ik bedacht dat de eerste veiligheidszone rond het kamp betrekkelijk makkelijk over te steken moest zijn en dat het me niet veel moeite kon kosten om de rivier te bereiken. Maar daarna drong het tot me door dat de rivier druk bevaren werd door boten met guerrillero's. Ik wist ook niet goed hoe ik mijn eerste levensbehoeften en het voedsel kon meenemen op mijn vlucht. Ik was mager omdat ik in mijn hele zwangerschap niet meer dan vijf kilo was aangekomen, maar mocht geen lasten dragen en moest blijven eten om het kind niet te schaden. Ik dacht ook aan de mogelijkheid dat ik met zeven maanden zou bevallen terwijl ik nog in het oerwoud was. Er waren te veel onvoorspelbare factoren, en ik besloot het idee te laten varen. Later ontdekte ik dat er op vijftien of dertig meter van de plaats waar ik me bevond, meer wachtposten waren neergezet om te voorkomen dat iemand ontsnapte. In dat kamp waren in totaal meer dan tweehonderd guerrillero's gelegerd.

Ik had geen enkele zeggenschap over mijn situatie, en de last die ik moest dragen was zo zwaar, dat ik besloot me toe te vertrouwen aan God. Op een dag zei ik tegen Hem: 'Ik wil leven, en het leven van mijn kind en dat van mezelf leg ik in Uw handen.' Vanaf dat moment maakte ik me niet al te veel zorgen meer. Diep in mijn hart hoopte ik nog steeds dat ik bevrijd zou worden of dat ze me naar een medisch centrum zouden brengen of dat ze op z'n minst de komst van medisch personeel van het Rode Kruis zouden toestaan. Daarom lette ik op elke boot die aankwam, en hoopte ik steeds dat die voor mij bestemd was. In mijn naïveteit koesterde ik tot het laatste moment de hoop dat zoiets zou kunnen gebeuren.

In de drie maanden voorafgaand aan de bevalling oefende ik me in positieve visualiseringen. Allereerst bepaalde ik hoe het kind ging heten. Omdat ik de bijbel van begin tot eind gelezen had, leek het me mooi om het een bijbelse naam te geven, en ik moest denken aan de naam Emmanuel, omdat die een bijzondere betekenis heeft: 'God met ons'. Dat was beslist een zegening, en ik zag mijn kind als een zegen voor mezelf. In het Oude Testament staat – in Psalmen? Spreuken? – dat zegeningen en vervloekingen twee kanten van dezelfde medaille zijn, zodat iedereen zelf beslist welke kant hij zien wil. Ik besliste dat mijn kind voor mij een zegening Gods ging worden. Daarna besloot ik om er een meervoudige naam van te maken. Zijn tweede naam werd Andrés naar mijn vader en zijn derde naam Joaquín naar mijn grootvader, twee mannen die een onuitwisbaar stempel op mijn leven hebben gedrukt. Als het een jongen werd, ging hij dus Emmanuel Andrés Joaquín heten, en een meisje kreeg de naam Clara Sophia: Clara naar mijn moeder en mezelf, en Sophia omdat de godin van de wijsheid zo heet. Mijn dochter zou veel wijsheid nodig hebben om in een zo moeilijke omgeving te kunnen overleven.

Vanaf dat moment stroomden de zegeningen toe. Ik werd rustiger ondanks het directe gevaar waaraan ik blootstond. Er daalde vrede neer in mijn ziel. Om mezelf gerust te stellen bedacht ik dat ik niet bepaald de eerste vrouw was die in het oerwoud of op een afgelegen deel van het platteland ging bevallen. Ik moest denken aan de echtgenote van de man die op drie uur van Bogotá de *finca* van mijn ouders beheerde. Ze was zwanger en moest bevallen terwijl haar man aan het ploegen was. Het dorp was ver weg. Ze kon dus niemand waarschuwen, en alleen haar oudste zoon van vier was bij haar in de buurt. De jongen gaf haar het keukenmes om de navelstreng door te snijden. Ik was toen een jaar of tien, en was diep onder de indruk van de vanzelfsprekendheid en de rust waarmee die vrouw ons het verhaal vertelde toen we op de finca waren.

In het leven is het van groot belang om op het juiste moment de juiste rolmodellen te hebben. Die vrouw werd het mijne. Ik dacht elke dag aan haar en zei dan tegen mezelf: wat zij kan, kan ik ook. Daarmee verbeterde mijn stemming aanzienlijk. Ik at niet veel omdat ik in die periode geen trek had, maar ik bleef op gewicht en sliep goed. De oefeningen die ik deed, en de baden die ik nam, bevorderden mijn lichamelijke welzijn, en ik had niet veel last van mijn zwangerschap. Alleen mijn voeten waren een beetje ontstoken, wat bij zwangere vrouwen normaal is, en om dat tegen te gaan, ging ik met mijn voeten omhoog op bed liggen. Dat gaf ook rust en een energie die me later goed van pas kwam.

Zo gingen de maanden voorbij. Het werd half april 2004, en voor die periode was ik uitgerekend. Op 15 april werd ik net zo wakker als anders, maar ik bedacht dat mijn kind, als het op die dag geboren werd, op dezelfde dag jarig was als mijn oma. Dat leek me een plezierige samenloop van omstandigheden. 's Morgens deed ik wat ik altijd deed. Toen ik na het middageten mijn hokje ging vegen, merkte ik dat de eerste weeën kwamen. De jongen kwam de emmers schoonmaken, en toen hij daarmee klaar was, vroeg hij hoe het ging. Ik zei dat het niet lang meer ging duren. Hij moest de commandant en de verpleegster waarschuwen en hen eraan herinneren dat ze me een arts hadden beloofd. Even later kwam de verpleegster, die zei dat ik moest gaan liggen. Ik vroeg haar een horloge voor me te halen zodat ik de frequentie van mijn weeën kon meten. Daar was ik mee bezig toen de verpleger kwam om te zeggen dat hij zou helpen omdat er geen arts in het kamp was. Maar ik hoefde me geen zorgen te maken, want hij had medicijnen gestudeerd hoewel hij nog geen arts was. Ik begon natuurlijk te huilen, want het werd duidelijk dat deze sukkels niets hadden voorbereid en ook geen arts tot hun beschikking hadden.

Vanaf dat moment bleven de verpleegster, de vrouw die de maaltijden bracht, en de verpleger bij me zonder ook maar één moment van mijn zijde te wijken. Er kwam ook een hele reeks guerrillero's langs die ik nog nooit gezien had. Ze zeiden dat ze kwamen helpen en bleven buiten mijn hokje zitten. Toen het donker werd, staken ze een vuur aan. Ze roosterden een paar stukken vlees en praatten over god mag weten wat. Mijn weeën gingen door, en ik had volstrekt geen trek.

De verpleger vroeg ineens of ik wel eens buiten Colombia was geweest. Ik zei ja, en toen moest ik van hem iets over een reis vertellen. Ik dacht even na, en vertelde over de keer dat ik in Venetië was geweest. Dat was toen twaalf jaar geleden. Ik bleef een hele tijd praten. Voor mij was dat een heel bijzondere avond met al die mensen buiten die me op een heel bijzondere manier gezelschap hielden, verhalen vertelden en grappen maakten rond het vuur, dat ze lang lieten branden. Uiteindelijk werd ik door slaap overmand en sliep ik met tussenpozen totdat het eindelijk ochtend werd.

Het was 16 april, en de weeën gingen in hun oude tempo door. Ik voelde me een beetje verzwakt door de inspanning. Ik had al urenlang niets gegeten maar had desondanks geen trek. Rond een uur of negen 's ochtends hielpen de verpleger en een paar guerrillera's me bij pogingen om op een natuurlijke manier te bevallen, maar dat lukte niet. Ze haalden zelfs een touw dat ze dwars door mijn hokje spanden. Ik kon me eraan overeind trekken en me vasthouden terwijl ik perste. Even later zei de verpleger dat een keizersnee nodig zou zijn als het zo doorging, maar dat we tot het middaguur moesten wachten om te zien wat er gebeurde. Als het kind dan nog niet geboren was, zouden ze me onder narcose brengen en openmaken om het kind te redden. Ik smeekte hem om alsjeblieft ook mijn leven te redden. Hij antwoordde lachend: 'Maak je geen zorgen, Clara. Laten we hopen dat je kind zonder keizersnee normaal geboren wordt. Hoe dan ook, ik zal toestemming moeten vragen om te opereren. Om één uur nemen we de beslissing.'

Rond het middaguur had ik veel vruchtwater verloren, en ik merkte dat de frequentie van de weeën trager werd. We gingen er allemaal van uit dat het kind leed, en ik merkte dat de guerrillero's zich zorgen maakten. We beseften dat een keizersnee noodzakelijk was. Het kostte me moeite om het tot me te laten doordringen dat mijn toestand ernstig en gevaarlijk was: midden in het oerwoud en zonder medisch team moest ik een keizersnee ondergaan, maar ik kon niets anders doen dan me overgeven. Als God het wilde, zou ik sterven, en in het andere geval bleven mijn kind en ik leven. De verpleger begon te zweten en ging naar buiten om een emmer water over zijn gezicht en handen te gooien. Hij had een paar doktershandschoenen te pakken weten te krijgen. Een andere guerrillero installeerde een

gloeilamp die hij aansloot op een generator. Ik vond het ongelooflijk om een lamp van honderd watt boven mijn hoofd te
hebben. Het werd één uur, het werd half twee, het werd zelfs
twee uur, maar niemand begon aan de keizersnee. Ik dacht al
dat de verpleger voor de operatie terugschrok, en schreeuwde
hem toe: 'Begin toch! Anders gaan we allebei dood! Ik voel het
kind niet meer! Mijn god, begin toch!' Net op dat moment
kwam een andere guerrillero zeggen dat de operatie mocht
doorgaan. En meteen daarna pakte hij eindelijk mijn hand om
de ader te zoeken en me de narcose in te spuiten. De slaap overmande me terwijl ik aan het nadenken was over mijn moeder,
mijn kind en hoe dit alles zou aflopen. Een paar tellen later was
ik diep in slaap.

Toen ik wakker werd, was het donker. Er stonden allerlei
mensen om me heen maar ik kon hen niet goed zien. Ze leken in
een andere dimensie te verkeren. Iemand hield mijn rechterhand omhoog, kennelijk om het infuus en de narcose te controleren. De gloeilamp hing nog steeds boven mijn buik. Links van
mij stond een guerrillera met een lantaarn bij te lichten terwijl
de verpleger voor me stond en de laatste hechtingen aanbracht.
Achter in het hokje onderscheidde ik een andere vrouw met iets
in haar armen dat ik niet kon zien maar dat in lakens was ge-
wikkeld die ikzelf geborduurd had. Daaruit leidde ik af dat het
mijn kind was. Er heerste een bijna volmaakte stilte, en de
vrouw keek volledig geconcentreerd naar het pakket in haar armen. Ik probeerde te gaan zitten en vroeg naar mijn kind, maar
ze riepen dat ik me niet mocht bewegen. Overal hingen slange-
tjes aan mijn lichaam. De verpleger zei kalmerend: 'Clara, je
bent een kanjer. Je kind is heelhuids geboren en mankeert niets.
Hou je rustig terwijl ik de hechtingen afmaak.' De narcose was
kennelijk bijna uitgewerkt, want ik begon de steken te voelen
die hij aanbracht. Alles deed afschuwelijk veel pijn en ik kon

me nauwelijks bewegen. Bovendien rilde ik van de kou. Iemand riep dat ze handdoeken en lakens moesten halen om me in te pakken, en zo sliep ik weer in.

Toen ik opnieuw wakker werd, ging de zon al op. Alles deed pijn en elke beweging was een marteling. De verpleegster kwam naar me toe en bood me iets te drinken aan. Ik vroeg naar mijn kind, en zij zei: 'Het is een prachtig kind. Hij heeft een paar schaafwondjes op zijn borst en hoofd, en zijn linkerarm is een beetje blauw. Maar voor de rest gaat het goed met hem, en die schaafwonden zijn binnenkort verdwenen. Maar wat jij moet doen, is rusten.' Ik vroeg waarom ze mijn kind niet bij me brachten, en daarop zei ze kalmerend: 'Hij krijgt op dit moment andere kleertjes aan. Straks komen ze hem brengen. Drink intussen maar dit suikerwater. Daar word je warm van.' Ik vroeg haar opnieuw waarom alles zo veel pijn deed en zij legde uit: 'De operatie heeft uren geduurd. Het kind was moeilijk te halen omdat het geen tekenen van leven gaf. Daarom is zijn armpje een beetje blauw. En daarna kwamen bij jou je ingewanden naar buiten, en die moesten we weer terugstoppen.' Later kwam ik te weten dat ik bij de keizersnee veel bloed had verloren en op het randje van de dood had gezweefd.

In de loop van de ochtend kwamen ze eindelijk mijn kind brengen. Ze legden hem naast me. Ik huilde van opluchting. Ik kreeg er geen genoeg van om naar hem te kijken, maar durfde zijn kleren niet uit te trekken omdat het regende. Ik wilde niet dat hij kouvatte. Maar hij was geweldig. Ik had het gevoel in een droom te leven en iets werkelijk ongelooflijks mee te maken. Ik bleef maar naar zijn vredige gezichtje kijken en bedacht wat mijn moeder en de rest van mijn familie zouden zeggen als ze hem zagen. Een felle emotie beheerste me, maar dat duurde niet lang want ik begon me zorgen te maken over de vraag hoe ik hem in dat oerwoud kon verzorgen, vooral als ikzelf nog zo zwak was.

De twee guerrillera's naast me waren nog steeds druk in de weer. De ene hield zich met het kind bezig en de andere met mij. Na een tijdje kwam de verpleger kijken hoe het met ons tweeën ging. Hij onderzocht het kind, en daarbij zag ik hem voor het eerst naakt. Hij was mager en had lange ledematen, maar zijn afmetingen en gewicht waren normaal. Het was geruststellend om te zien dat zijn schaafwonden op hoofd en borst inderdaad heel licht waren. Zijn linkerarm zag er zorgwekkender uit, en ik vreesde al dat die onder de schouder gebroken was. Zijn handjes vond ik volmaakt. Hij was een klein maar heel fraai mensje. De verpleger verzekerde me dat het armpje snel zou genezen, want op die jonge leeftijd raakte een bot snel weer op zijn plaats als het juiste verband werd aangebracht. Daarna onderzocht hij mij. Ik had nog steeds veel pijn en kreeg het gevoel dat de wond ontstoken was. Hij zei dat ze op een medicijn aan het wachten waren, een antibioticum dat ik moest slikken om te zorgen dat het litteken niet geïnfecteerd raakte. Hij had bovendien melkpoeder besteld om het kind de fles te kunnen geven. Bij mij was de melkproductie niet op gang gekomen, en ik kon mijn kind dus niet de borst geven. De eerste dagen voedden ze hem dan ook door watten te bevochtigen in suikerwater en in zijn mondje te houden. Op de tweede dag gaven ze ook mij iets te eten, maar ik braakte alles weer uit. Ik voelde me vreselijk, en dat bleef nog vier dagen zo. Intussen huiverde ik aan een stuk door. Het was koud en het regende veel. Ook het kind begon kou te vatten. Daarom brachten ze ons naar een ander deel van het kamp, waar een leerwerkplaats was. Daar had hij in elk geval een houten dak, deuren en ramen om zich heen. De werkplaats was een veel rustiger plekje naast de ziekenboeg. Mijn eigen toestand verslechterde met de dag, mijn buik was hevig ontstoken en ik hield geen voedsel binnen. Omdat bovendien het melkpoeder nog niet gekomen was, kon ook het kind niet herstellen. Op een dag kreeg ik bezoek van Martín Sombra in gezelschap van de verpleger, en hij zei tegen me. 'Je moet eten, anders ga je dood. Als je niet eet, overlijd je aan het medicijn. Kijk, hier heb je wat kippenbouillon. Bevochtig in elk geval je lippen. Straks komen de medicijnen en het melkpoeder. Je zult je moeten inspannen om in leven te blijven, en vergeet niet dat je kind je nodig heeft.' Dat was vermoedelijk de vijfde of zesde dag na de bevalling, en ik was inmiddels vel over been.

Ik mocht me een maand lang niet bewegen en werd via een infuus gevoed. Bovendien had ik hoge koorts totdat ze een vaccin tegen de gele koorts te pakken kregen en toedienden. Dat gaven ze ook aan mijn zoon, plus een injectie met vitamine K. Ik weet nog dat hij een enorme huilbui kreeg en hoe erg hij bloedde. In die periode was de opmars van het leger duidelijk merkbaar. Ik herstelde heel langzaam, maar uiteindelijk begon ik weer wat witte rijst, bouillon en suikerwater te nuttigen.

Omdat ik me niet mocht bewegen, legden ze de baby in een kleine hangmat schuin voor mijn bed, zodat ik hem kon zien en wiegen. Hij dronk graag uit de fles en groeide als kool. Zijn verwondingen waren snel genezen. De eerste keer dat hij in bad ging, zal ik nooit vergeten. Voor dat werkje kwam een dikke guerrillera met lichtgekleurde ogen, die er kennelijk veel ervaring mee had, want het werd haar taak. Ze liet een paar emmers lauw water en een paar stoelen aanrukken om hem aan het voeteneind van mijn bed te wassen. Dankzij de baby gebeurde er elk moment van de dag iets nieuws. En niet alleen voor mij, ook voor de anderen. Emmanuel betekende nieuw leven te midden van de dood. Iedereen besefte dat elk moment ons laatste kon zijn, maar de aanwezigheid van een klein kind vulde onze dagen met leven en optimisme en haalde bij iedereen het beste naar boven.

Naast de leerwerkplaats waar ik was ondergebracht, stond

de ziekenboeg. Daar verzamelde zich elke ochtend vroeg een rij guerrillero's die medicijnen nodig hadden. Als ze ons zagen, groetten ze ons. De meesten waren jonge jongens en meisjes. Hun jeugd maakte diepe indruk op me, en als zij mijn kind zagen, maakte mijn moed veel indruk op hen.

Het kind groeide voorspoedig en ik voelde me elke dag beter. Ik was zo geconcentreerd met het jochie bezig dat ik me geen zorgen maakte over het constante lawaai van de legerhelikopters die steeds over het kamp vlogen. Ze zochten een naald in een hooiberg, maar we konden elk moment ontdekt worden.

Op 15 mei van dat jaar 2004 was het Moederdag, en die bracht ik met mijn zoon door. Ik kon me al een beetje bewegen, en het leek wel een droom om Emmanuel aan mijn zijde te hebben. Toen het die dag donker werd, begonnen de helikopters heel laag boven het kamp te vliegen. Die middag om een uur of zes kwam de guerrillera die voor mijn kind zorgde, hem met een heel dikke deken halen. Ze zei tegen me: 'Clara, zorg dat je bepakt en bezakt klaarstaat. Ik moet het kind meenemen. De verpleger komt jou halen. Straks treffen we elkaar aan de rand van het kamp. Maak je geen zorgen. Alle guerrillera's en jij zitten in dezelfde groep als het kind. Ook de anderen worden geëvacueerd.' Het kwam niet vaak voor dat ze dit soort uitleg gaf. Ze deed het kennelijk omdat ze mijn bezorgdheid zag en wilde dat ik me meteen klaarmaakte. Ik zegende mijn kind terwijl de tranen over mijn wangen stroomden. Ik vond het heel wreed dat ze hem bij me weghaalden. Tegelijkertijd hoorde ik het chaotische lawaai van mensen die naar de uitgang stormden. Dat waren de guerrillero's, die met hun geweer en bepakking haastig aan het vertrekken waren.

Een paar minuten later kwam de verpleger me halen. Ik probeerde heel langzaam te lopen en leunde op zijn arm omdat ik nog heel zwak was. De hechtingen waren nog niet verwijderd en mijn litteken was een centimeter of twintig lang. Tot dan toe had ik niet meer dan een paar stappen gelopen. En nu moest ik ineens minstens vijfhonderd meter afleggen. Het was al bijna donker. In mijn ene hand had ik een lantaarn en met mijn andere hield ik de arm van de verpleger vast. We lieten de houten vloer achter ons en gingen door de modder op weg, maar ineens kon ik niet meer. Mijn lichaam weigerde dienst en ik viel flauw. Gelukkig was het een lichte aanval en verloor ik niet helemaal het bewustzijn, maar ik was wel erg misselijk. Een paar guerrillero's tilden me op en droegen me een paar meter verder, waar ze me op een vel plastic zetten dat ze op de grond hadden uitgespreid. Ze zetten mijn zoon naast me, en ik voelde me geweldig opgelucht omdat hij bij me was. Het was inmiddels stikdonker, en we kregen bevel om geen geluid te maken. Voor ons uit hoorden we de andere gevangenen lopen; aan het geluid te oordelen waren ze geketend. Later hoorde ik dat de hele groep een paar dagen op een afgelegen plaats buiten het kamp was gehouden. Mij lieten ze een tijdje zitten. Toen de helikopters wegvlogen, kwamen Martín Sombra en een andere commandant die volgens mij alleen Alberto heette, en die gaven toestemming om een sigaret op te steken zodat hun mensen zich konden ontspannen. Het was verbazend om te zien hoeveel lichtjes ineens in het donkere oerwoud aangingen. Ze brachten mij en de baby weer naar de leerwerkplaats, waar we konden uitrusten. Ik had de indruk dat het hele kamp verder leeg was.

De volgende ochtend was alles op het oog normaal. Diverse jonge guerrillera's kwamen me gezelschap houden. Het leger lag nog steeds in de buurt op de loer. Bij mij waren een paar hechtingen losgegaan, en die moesten weer worden aangebracht – zonder narcose ditmaal. Wat had ik het zwaar!

Toen na de bevalling veertig dagen verlopen waren, vonden de commandanten het tijd worden dat ik met Emmanuel terug-

ging naar het deel van het kamp waar de andere gevangenen zaten. Mijn hechtingen waren verwijderd, en hoewel ik nog zwak
was, kon ik lopen. Nu moest ik helemaal alleen voor de baby
gaan zorgen, maar daarover maakte ik me minder zorgen dan
over de sfeer waarin we terechtkwamen. Hoe zouden mijn
voormalige makkers me ontvangen?

20

Met een baby in het kamp

Op 6 juni was Emmanuel een maand en drie weken oud. Ik stond die dag vroeg op om mijn spullen bij elkaar te zoeken, hoewel ik bijna alles al had klaargezet voor de verhuizing. Ik kleedde mijn zoon zo netjes mogelijk aan. Een paar dagen eerder had ik een tas met babyspullen gekregen, en er waren zelfs weggooiluiers bij, wat een hele opluchting was. Ik kreeg te horen dat Mono Jojoy daartoe persoonlijk opdracht had gegeven.

De vrouw van Martín Sombra kwam afscheid van me nemen. Ze was jong, had een lichte huid en was tamelijk knap maar had zich tegenover mij altijd koel en afstandelijk gedragen. Die dag raadde ze me echter aan goed voor Emmanuel te zorgen. Ze was bijna even lang bedlegerig geweest als ik omdat ze zwanger was geweest en haar kind in de eerste maanden van haar zwangerschap had verloren toen ze tijdens een mars gevallen was. In de loop van die veertig dagen was ze me een paar keer komen opzoeken. Ik weet het niet helemaal zeker, maar volgens mij had ze liever gewild dat háár kind het overleefd had.

Het leven verloopt grillig, en na verloop van enkele jaren blijken ineens dingen te zijn voorgevallen die ik voordien nooit geloofd zou hebben. Sinds ik weer in vrijheid ben, heb ik een paar keer de kans aangegrepen om Martín Sombra in de gevangenis op te zoeken. De eerste keer dat ik bij hem kwam, vroeg hij hoe het met mijn zoon ging. Ik zei tegen hem: 'Martín, goddank zijn we samen, maar je moet intussen weten wat er met zijn armpje is gebeurd. Het kind heeft geleden,' waarop hij antwoordde: 'Clara, maar hij leeft nog en is bij jou. Wist je dat meerdere vrouwen hem voor zichzelf hebben willen houden? Zelfs mijn vriendin liet zoiets doorschemeren, maar ik wilde dat niet.' Het kost me nog steeds moeite om bepaalde dingen te geloven, en ik weet niet waarom hij me dat vertelde. Ik zei alleen: 'Als dat waar is, dan dank ik God dat Emmanuel nog leeft en bij mij is.'

Het is waar dat ik aan deze commandant tegenstrijdige herinneringen bewaar. Ik denk dat hij me al voor de geboorte van mijn zoon in vrijheid had kunnen stellen. Dan had hij me ook veel pijnlijks bespaard. Hij weigerde koppig om me over te dragen aan het internationale Rode Kruis, verhinderde dat iemand van die organisatie me in het kamp kwam helpen en beweerde dat hij slechts de bevelen van het secretariaat uitvoerde. Aan de andere kant moet ik toegeven dat hij het zijn taak vond om mij en mijn zoon het leven te redden toen dat aan een zijden draadje hing. Hij besloot me van de andere gevangenen te scheiden toen de spanning ondraaglijk werd, en zette me in een afgezonderd deel van het kamp. Op het moment van de bevalling stuurde hij een stel guerrillero's met ervaring op het gebied van kalvende koeien en de verpleegkunde, en zij hebben me zo goed mogelijk verzorgd met de schaarse en primitieve hulpmiddelen die ze tot hun beschikking hadden. Na de bevalling kwam hij me vragen en bijna smeken om iets te gaan eten en gaf hij een guerrillera de taak om voor mijn zoon te zorgen. Hij hoort dus kennelijk tot de mensensoort die af en toe iets menselijks doet.

Op 6 juni kwam de verpleger om negen uur 's ochtends naar

me toe om mij en mijn zoon naar mijn voormalige makkers te brengen. Ik was erg benieuwd maar ook heel kalm en tevreden, want Emmanuel en ik hadden de race om het leven eindelijk gewonnen.

Bij onze aankomst verdrong iedereen zich bij de poort, waar ze welkomstliederen aanhieven. Dat was een prettige verrassing. Ze brachten me weer naar de houten loods en wezen me dezelfde brits toe als eerst. Toen ik bij mijn onderkomen aankwam, probeerden een paar mannen de guerrillero's geërgerd onder druk te zetten om me een andere slaapplaats met meer ruimte voor mezelf en mijn zoon te geven omdat het ingewikkeld was om met een klein kind het trapje te beklimmen. Ze bedoelden het goed, maar de toon waarop ze het vroegen, was niet bevorderlijk, en dus begon ik gewoon mijn slaapplaats in te richten. Ik legde Emmanuel op het bed om zijn hangmat op te hangen. Toen ik me al min of meer geïnstalleerd had, kwamen de anderen zeggen dat ze een hongerstaking wilden beginnen omdat ik een betere slaapplaats moest hebben. Ik zei dat me dat een goed idee leek, maar zelf kon ik niet meedoen omdat ik nog te zwak was. Het was eigenlijk wel grappig, want ze besloten mijn terugkeer te vieren met het gefermenteerde suikerwater dat ze hadden, om de dag daarna aan hun hongerstaking te beginnen. Maar de drank viel bij een aantal mensen slecht, zodat ze de volgende dag diarree hadden. Toch hielden ze hun staking ongeveer een dag vol.

De sfeer in het kamp was erg gespannen omdat het leger steeds verder opdrong. 's Morgens en 's middags hoorden we vliegtuigen overvliegen, en die kwamen steeds dichterbij. Iedereen was heel bang. We wisten namelijk niet welk bevel de guerrillero's hadden wanneer het leger ons zou bereiken: hard weglopen of ons doden? De guerrillero's waren erg nerveus en hielden met geladen geweren de wacht. De spanning was om te snijden, en daarbij kwam nog het gebrek aan bewegingsvrijheid waartoe we veroordeeld waren. In de omgeving waar ik was bevallen, kon ik tenminste nog lopen, maar mijn medegevangenen bleven opgesloten in de grote, getraliede kooi waar ze nooit uitkwamen, niet eens om naar het toilet te gaan, want in de kooi zelf was een latrine gemaakt. De ruimte was zo krap dat niemand zich kon verplaatsen, en we konden alleen om beurten een paar stappen doen. Met z'n allen tegelijk was dat onmogelijk. Mijn terugkeer naar dat verschrikkelijke oord met een baby van een paar maanden verhoogde de spanningen alleen maar en leidde tot nieuwe twisten. Emmanuel gedroeg zich zoals elke andere pasgeborene en huilde als hij honger had en wanneer hem iets mankeerde, maar zijn gehuil weergalmde daar echt, vooral als het stil was. Ik had nog niet genoeg zelfvertrouwen om iets van iemand te vragen en had dus dag en nacht de hele verantwoordelijkheid voor hem. Ik gaf hem te eten, waste zijn kleren en de mijne en was de hele dag waakzaam. Ik was heel zuinig met de weggooiluiers en gebruikte overdag luiers van textiel, zoals de verpleger gezegd had. Die moest ik dus viermaal per dag wassen.

Op een ochtend werd ik vroeg wakker omdat het kind huilde. Iemand gaf hem zijn fles. Hij werd stil, en ik profiteerde daarvan door naar het washok te gaan en wat kleren te wassen. Maar toen ik al bijna klaar was, hoorde ik hem opnieuw huilen. Ik rende erheen om te zien wat er aan de hand was, en wist hem stil te krijgen, maar bij mijn terugkeer bleken sommige medegevangenen zich eraan te storen dat ik de was nog niet had binnengehaald en nog niet op zo'n manier had opgeruimd dat anderen erlangs konden. Ze gedroegen zich, kortom, alsof ik een vreemde voor hen was, en vertoonden de houding van gasten in een vijfsterrenhotel, die meteen gaan klagen als er ook maar iets is wat hen niet bevalt. Ik wilde geen ruzie meer met hen maken en vond hun houding belachelijk. Bij de deur van het washok deed ik er het zwijgen toe, en ik zei verder niets meer.

Een andere keer klaagden ze bij de commandanten dat ik me twee keer op een dag gebaad had. Dat had ik gedaan omdat ik luiers had gewassen en me erg had moeten inspannen. Omdat iedereen 's middags al in bad was geweest, besloot ik daarvan gebruik te maken door opnieuw te baden. En daar maakten ze bezwaar tegen, want ze vonden dat ik te veel in de watten werd gelegd. Op dat moment kwam een van de drie Amerikanen naar me toe en zei in zijn primitieve Spaans: 'Clara, maak je geen zorgen. Ik heb niets gezegd, want al dat geklaag vind ik overdreven, en ik wil het je niet nog moeilijker maken.'

De commandant kreeg genoeg van de discussies, die af en toe nogal kinderlijk waren, en zei tegen hen: 'Luister, we hebben Clara en het kind bij jullie gezet omdat we dat beter voor hen vonden. Jullie hebben haar niet geholpen en willen dat blijkbaar ook niet. Laat mij nadenken. We zien wel hoe we het oplossen.' Als gevolg daarvan kwam de verpleger om te zeggen dat ze Emmanuel een maand gingen meenemen om zijn armpje te laten genezen, en daarvoor was totale rust nodig. De guerrillera die hem al eerder verzorgd had, zou dat ook nu weer gaan doen. Ik was in alle staten toen ik hoorde dat ze me van mijn kind wilden scheiden, en wist zeker dat onze ruzies de echte reden waren.

Het ging als volgt. De verpleger nam hem mee, en ik werd bijna gek toen ik zag dat ze mijn kind van me afpakten. Ik begon heel vroeg op te staan en ging dan meteen lopen omdat ik gevraagd had om als eerste mijn oefeningen te mogen doen. Dan zong ik tot de Maagd. Sommigen floten me uit om me tot zwijgen te brengen, anderen zeiden niets meer tegen me. Ze hadden deze situatie zelf in de hand gewerkt maar deden nu net of er niets aan de hand was. Op een dag omklemde ik het hek en schreeuwde wanhopig tegen de guerrillero's dat ze mijn kind terug moesten geven. Mijn vriendelijkste scheldwoord was 'misbaksels'. Mijn schreeuw was ongetwijfeld tot kilometers in de omtrek hoorbaar en bereikte beslist ook de oren van Marulanda zelf. Na elke schreeuw was het kamp in een diepe stilte gedompeld. Mijn stem echode helemaal. Later moest ik de verpleger mijn excuses aanbieden, en ik beloofde dat ik het nooit meer zou doen. Maar het spreekwoord luidt: 'Parijs is wel een mis waard', en voor de terugkeer van Emmanuel was ik tot alles bereid.

Sommige militairen en politiemannen uit de kooi naast de onze begonnen hun solidariteit te tonen door me geborduurde dingen voor het kind te sturen. Ze maakten zweetbandjes voor hem die haast wel uit de winkel leken te komen, maar ook een zak voor zijn luiers en een beddensprei. Daarnaast breiden ze een uil en maakten ze een karretje en een paar rammelaars voor hem. Ze maakten zelfs een paar leren sandalen en piepkleine sportschoentjes. Deze kleine attenties troffen me diep, vooral omdat het juist mijn meest bescheiden lotgenoten waren die me in die situatie de hand reikten. Ik zal het nooit vergeten.

Om de dag door te komen en de leegte te vullen die Emmanuel had achtergelaten, begon ik weer te borduren. Maar de ongerustheid was sterker dan ik, en ik kon gewoon niet geduldig wachten totdat ze mijn kind teruggaven. Daarom besloot ik tot een hongerstaking van negen dagen, die ik opdroeg aan de Maagd. De verpleger vond het in mijn omstandigheden waanzin, en ik wist dat hij gelijk had, maar ik had het gevoel dat ik iets moest doen om mijn zoon terug te krijgen. Ik kon niet met mijn armen over elkaar zitten wachten totdat ze hem kwamen brengen. Vandaar mijn besluit tot een staking, en die voltooide ik zoals ik me had voorgenomen. Een paar dagen later zei de verpleger dat ik mijn kind weer mocht zien, maar niet langer dan een paar uur per dag, want ze wilden voorkomen dat tussen de gevangenen opnieuw de spanningen ontstonden die voor mij en mijn kind zo slecht waren geweest.

Eind juli zag ik mijn kind weer na een scheiding van een maand. Ik was nog heel zwak en had het gevoel dat ik in mijn eentje tegen de hele wereld vocht. Ze kwamen hem elke dag brengen, en dan probeerde ik altijd opgewekt te zijn. Samen brachten we de prettigste momenten van de dag door. Ik vertelde hem verhaaltjes en zong liedjes voor hem. In de loop der tijd kreeg ik mijn rust en kalmte terug. Ik concentreerde me alleen op de zorg voor mijn kind en besteedde geen aandacht meer aan mijn medegevangenen en hun absurde houding. Ik wilde alleen iets te maken hebben met mensen die ons op een vriendschappelijke manier benaderden. Als Emmanuel niet bij me was, vroeg ik de guerrillera die hem verzorgde om me zijn kleertjes te sturen. Die kon ik dan wassen, en elke keer als hij kwam, deed ik hem schone kleren aan die ik al klaar had liggen of die de militairen en politiemensen me stuurden.

De Amerikanen deden in die periode hun best om hun verhouding tot mij te verbeteren, en in de perioden dat mijn zoon niet bij me was, bracht ik meer tijd bij hen door. We schaakten, speelden banca rusa, lazen samen Spaanse boeken en bespraken de nieuwsberichten. Samen hadden we de taak om onze loods schoon te houden. Omdat ik nog heel zwak was, maakten ze de eerste maand een uitzondering voor mij en kwam ik niet aan de beurt. Maar daarna moest ik gewoon meedoen, en vormde ik een koppel met een van de Amerikanen. We verdeelden het werk onderling. Hij maakte de latrines en de emmers schoon, want dat was het zwaarste werk. Ik deed de rest: de maaltijden opdienen, de vaat wassen, de tafel en stoelen schoonmaken en de vloer vegen. Hij hielp me ook bij het dweilen van de vloer, want ik besloot geen dweil meer aan te raken toen iemand zich erover beklaagd had dat ik het niet goed had gedaan. De andere werkzaamheden konden me niet schelen. Bovendien had ik daardoor het gevoel dat ik een gewoon lid van de groep werd en het recht kreeg om te eisen wat me ontbrak. Maar eigenlijk klaagde ik niet veel. Het leek me absurd om tegen hen te moeten zeggen dat ze hun vuilnis opruimden en hun peuken buiten weggooiden. Hun gebrek aan consideratie met de niet-rokers zat me werkelijk dwars. We hadden besloten dat we binnen de loods niet zouden roken, alleen erbuiten, maar af en toe overtraden ze die regel.

Ik besloot de laksheid van de anderen volledig te negeren. Dat was goed voor mijn overleving en maakte de moeilijke situatie draaglijker. Onze opsluiting en de groeiende druk van het oprukkende leger hielden iedereen in een zodanige onrust dat het heel vaak vanwege een minuscule kleinigheid al tot een uitbarsting kwam. De ene confrontatie na de andere ontstond, bijvoorbeeld toen ik op een dag in de rij stond voor heet water. Ik was altijd een van de eersten omdat ik als enige een thermosfles had. De anderen hadden alleen een pastic beker en wachtten tot het water een beetje was afgekoeld, anders smolt het plastic. Toen ik op een dag water aan het inschenken was, begon Ingrid te schreeuwen dat ik was voorgedrongen. Dat was niet voor het eerst dat ze dat deed. Ik schrok zo dat ik morste, en verbrandde mijn hand. Een van de Amerikanen zei dat ik moest kalmeren en beter niets kon zeggen. Iemand anders zei: 'Ga ook maar geen water meer halen.' Vanaf die dag haalde hij altijd het water waarmee ik mijn kop koffie en het flesje voor Emmanuel maakte.

Al die dingen hebben tegenwoordig geen enkel belang meer. Maar in die tijd kwetsten ze me. Al die confrontaties wekten onbehagen. ook als ze wegens kleinigheden ontstaan waren. Ik moet erkennen dat ik me enorm heb moeten inspannen om dat allemaal te overwinnen en de wonden te laten genezen.

21

De mars

Het leger rukte almaar verder op. Steeds meer vliegtuigen en helikopters passeerden en kwamen steeds dichterbij. We twijfelden er niet aan dat we snel van kamp gingen wisselen om te voorkomen dat het leger ons lokaliseerde. De Amerikanen vonden dat ik weer in vorm moest zien te komen door alles te eten, oefeningen met gewichten te doen en meer lichaamsbeweging te nemen. Ze improviseerden zelfs een soort 'sportschool' met behulp van een paar plastic emmers die ze met een katrolsysteem aan een boom hingen en als gewichten gebruikten. In het begin deden ze er niet veel water in zodat ze weinig wogen, maar ze maakten ze steeds zwaarder om mijn weerstand te verhogen, en ik moet toegeven dat deze simpele vorm van *workout* heel goed werkte. Toen we begin september aan onze mars begonnen, kon ik al normaal lopen en mijn bepakking dragen.

Mijn zoon was toen vijf maanden en nog een baby. Ik had al zijn spullen klaargemaakt. Al zijn verschoningen en andere benodigdheden voor onderweg lagen binnen handbereik. De guerrillera die hem vanaf zijn geboorte verzorgd had, ging hem dragen. Het is waar dat ik het nog niet vaak over haar gehad heb, want ik denk dat ze nog steeds in het oerwoud is, en ik wil haar niet schaden, maar deze vrouw heeft zich geweldig gedragen. Al vlak na de geboorte bood ze aan om hem te verzorgen.

Ze zocht me op toen ik nog in bed lag, en vroeg: 'Heb je er be-zwaar tegen dat ik de zorg voor je kind op me neem? Ik schaam me een beetje omdat ik zo dik ben, en daarom wil je het mis-schien niet.' Ik antwoordde: 'Dank je dat je het vraagt. In het al-gemeen heb ik zulke vooroordelen niet. Als de commandant toestemming geeft, vind ik het goed. Dat jij hem graag verzor-gen wilt, is voor mij het allerbelangrijkste. Ik neem aan dat je goed kookt, en ik hoef dus niet bang te zijn dat mijn kind hon-gerlijdt.' Zo begon ze voor hem te zorgen.

Toen het op een avond aan het eind van september al donker begon te worden, kwam de verpleger zeggen dat het moment was aangebroken. We moesten ons klaarmaken om de volgen-de dag op weg te gaan. Hij vroeg ons om alleen het allernood-zakelijkste mee te nemen. Mijn kind zou meegaan in de draag-zak die Ingrid gemaakt had. Ze had al voor de geboorte beseft dat het handig was om er een te hebben, en dat had ze goed ge-zien. Ik vond het heel lief van haar dat ze daaraan dacht.

Bij zonsopgang stonden we klaar. We hadden de hele loods opgeruimd en ook de matrassen op onze rug gebonden, maar we waren een beetje zenuwachtig. Ze gaven ons een fles wod-ka, die we onderling verdeelden. Een van de Amerikanen ver-moedde dat ze ons tijdens de mars konden opsplitsen. Hij kwam naar me toe en zei: 'Laten we een heildronk uitbrengen en elkaar wederzijds vergeven. Ik wil nooit meer problemen met je hebben. Echt niet.' Ik vond het een vriendschappelijk ge-baar, en het was niet voor het eerst dat hij plooien tussen ons probeerde glad te strijken.

Daarna namen we als vrienden afscheid en gingen we op weg. We waren een enorme groep van 38 gevangenen en zo'n tweehonderd guerrillero's. Mij zetten ze helemaal in de voor-hoede om dichter bij de vrouwen te zijn die mijn zoon droegen. Een paar uur later merkte ik dat ik nog niet sterk genoeg was

om al mijn spullen te dragen, en ik zag me dan ook genood-
zaakt om mijn matras en een handtas achter te laten. Tijdens de
tweede stop ontdeed ik me van de helft van mijn bezittingen
omdat ze gewoon te zwaar waren. Ik had niets anders meer dan
mijn tentje, de klamboe, de hangmat, een verschoning, een
handdoek, het serviesgoed, mijn toiletspullen en het stuk leer
van de slang die in de rivier was opgedoken. Ik had besloten om
het als een soort oorlogstrofee te bewaren en liet het elke dag
drogen. Dat was ook een soort tijdverdrijf. Ondanks alles wat
ik achterliet, woog mijn bepakking nog altijd zo'n vijftien kilo.

Het was een moeizame tocht door het oerwoud, maar ik
raakte er steeds beter aan gewend. Dit was zonder twijfel de
zwaarste mars die we ooit hadden ondernomen, vooral omdat
het leger ons nog steeds op de hielen zat en ons tot een slopend
tempo dwong. De guerrillero's waren heel gespannen, en vermoeidheid is een slechte raadgever. Elke dag werden we om vijf
uur gewekt. Dan trok ik de schone kleren aan die ik de avond
ervoor had gewassen en opgehangen om te drogen. Ik ging
naar de latrine, waste mijn gezicht, poetste mijn tanden en ging
terug om de klamboe, de hangmat, de stukken plastic en het
tentje op te vouwen en in te pakken. Als het geregend had, probeerde ik ze te laten drogen om ze in goede staat te houden. Om
zes uur brachten ze het ontbijt, dat we snel moesten opeten, om
meteen daarna de vaat te doen en het middagmaal in te pakken
dat we meenamen. Het eten kwam boven op de bepakking te
liggen, en daarna nam ik de proef op de som door het geheel op
mijn rug te hijsen, te kijken of het niet te zwaar was, en de riem-
pjes bij te stellen om het dragen te vergemakkelijken. Ten slotte
kamde ik mijn haar en wachtte op het sein voor vertrek. Het
militaire ritme was al een automatisme geworden.

Voorafgaand aan het vertrek, dat meestal even na zessen
plaatsvond, ging ik altijd even naar mijn zoon kijken, die zich

verderop in de voorhoede bevond. In elk geval kon ik hem een kus en mijn zegen geven voordat we op mars gingen. Hij viel daarna meteen in slaap. Ik liep achter hem als eerste van een groep zieken, van wie sommigen te voet gingen en anderen op een brancard gedragen werden. Elke twee of drie uur stopten we om uit te rusten, en omdat ik dan alweer honger had, at ik in allerijl terwijl het laatste deel van de groep aankwam. Op die manier werd mijn bepakking lichter. Omdat de anderen later aten, kreeg ik de kans om even bij Emmanuel te zijn en hem te voeden. Op zo'n moment midden op de dag rustten we uit maar daarna liepen we door totdat het avond werd en de guerrillero's een kampplaats hadden gevonden, waar ze ons onze slaapplaatsen toewezen. Zodra we aankwamen op de plaats waar we de nacht gingen doorbrengen, hingen we onze hangmat op en maakten ons klaar voor een bad in de rivier. Ik sprong geheel gekleed het water in en probeerde op die manier de moddervlekken op mijn kleren kwijt te raken. Daarna ging ik naar mijn hangmat terug om me uit te kleden en droge kleren voor de nacht aan te trekken. Rond zeven uur werden we geroepen voor het eten, maar ik was dan vaak zo uitgeput dat ik liever ging slapen.

We liepen elke dag een uur of tien, en dat eiste van iedereen een enorme inspanning, vooral van de militairen en politiemensen, die altijd twee aan twee aan de hals geketend waren. Het was een droevig schouwspel om hen moeizaam door het struikgewas te zien sjokken. Het leek wel een scène uit een film over slavernij. Ze waren altijd geketend, maar 's nachts werden ze ook nog met een extra ketting aan een boom gebonden, zodat ze zich nauwelijks konden bewegen. De mannelijke burgers werden alleen bij uitzondering geboeid en bij de Amerikanen en de vrouwen gebeurde dat nooit, voor zover ik weet – behalve bij Ingrid en mij na onze mislukte vlucht aan het begin van onze gevangenschap.

De guerrillero's stuurden altijd een kleine voorhoede vooruit die zich een weg door het kreupelhout moest banen. Ze kapten ook bomen en legden die over riviertjes, die we een voor een en met onze volledige bepakking moesten oversteken. Het vergde een enorme inspanning om ons evenwicht te bewaren. Als je je voet verkeerd neerzette, viel je verscheidene meters, en de bepakking op je rug werkte daarbij als een grote steen. Soms stond er geen water in de rivier, en dan maakte je een flinke smak. Nog moeilijker was het voor de geketende gevangenen, die met z'n tweeën moesten oversteken en heel goed moesten uitkijken dat ze niet vielen. En als dat toch gebeurde, moesten ze zorgen dat ze naar dezelfde kant vielen omdat ze elkaar anders wurgden.

Op een dag moesten we een geweldige toer uithalen. Dat vond ik tenminste. Het was aan het begin van de middag en we stonden op de oever van een grote rivier die een meter of vijftig breed en verscheidene meters diep was. De stroom was zo sterk dat we hem niet zwemmend, noch per boot konden oversteken, en daarom moesten we dat doen aan een touw dat ze dwars over de rivier spanden. Ze lieten ons onze kleren uittrekken – ik stak over in een korte broek die ik had – en we hoefden onze bepakking niet te dragen. De Amerikanen gingen als eersten, en daarna kwamen een andere vrouw en ik. We hingen tot onze knieën in het water, maar tot mijn verrassing verliep de oversteek probleemloos, en vanaf de overkant zagen we de volgenden komen. Vaak was de paniek van hun gezicht af te lezen omdat ze niet eens konden zwemmen. Tot de eersten die overstaken, hoorde ook mijn zoontje. Hij was in een gereed gemaakte plastic bak gelegd, en een paar guerrillera's sleepten hem voort, want het zou onmogelijk zijn geweest om hem in je armen te houden. Ik mocht niet eens toekijken hoe ze hem transporteerden, want dan zou ik ongerust zijn geworden;

daarom vond ik het heel emotionerend om te zien dat alles heel rustig was verlopen: zijn kleren waren zelfs nog schoon alsof hij aan de wandel was geweest. Het duurde behoorlijk lang voordat iedereen veilig en wel aan de overkant was, zelfs de geketende gevangenen, die het ongetwijfeld zwaar te verduren hebben gehad. Het feit dat ik die proef doorstond, leek me een goed voorteken, en ik vatte het op als een bevestiging dat we het allemaal zouden overleven.

We liepen dag in dag uit door en kwamen heel moeizaam steeds dieper het oerwoud in. Eind oktober kwam Ingrid op een ochtend naar me toe. Dat verbaasde me omdat we bijna nooit met elkaar praatten. Ze zei: 'Clara, ze gaan ons in groepen splitsen.' En inderdaad. De guerrillero's hadden net een lijst voorgelezen met de samenstelling van elke groep. Ze hadden gezegd dat het leger in de buurt was en dat wij ons makkelijker in kleinere groepen konden voortbewegen. We gingen erbij staan en luisterden. Ingrid was ingedeeld bij diverse militairen. Het verbaasde me dat ze daar de enige vrouw was, maar aangezien ik op de dag van mijn ontvoering al een heel hoge prijs had betaald voor mijn vraag waar we naartoe gingen, besloot ik er het zwijgen toe te doen. Ik bleef bij mijn zoon Emmanuel, en dat was het belangrijkste. We waren al een hele tijd van elkaar vervreemd, en ik kwam niet eens op het idee om te vragen of ik bij haar mocht blijven. Omgekeerd was het kennelijk niet anders. Boze tongen beweerden dat zij de commandanten gevraagd had ons te scheiden omdat ze het niet verdroeg om in mijn buurt te zijn. Ik besteedde niet veel aandacht aan zulke commentaren. Ze leek me niet in staat om zo diep te zakken, en ik geloofde ook niet dat de commandanten aan zulke verzoeken gehoor zouden hebben gegeven. Toen het moment aanbrak, ging ik naar haar toe om afscheid te nemen en zei ik dat ik voor ons tweeën mijn vertrouwen stelde op de

Maagd van Guadalupe. Ik had er ook alle vertrouwen in dat we later weer herenigd zouden worden, zoals al enkele keren eerder was gebeurd. En toen de groep van mijn zoon vertrok, ging ik zonder tegensputteren mee.

Mijn groep omvatte ook de twee andere vrouwen, de drie Amerikanen, een aantal militairen en politiemensen en enkele burgers. In totaal waren we met 26 gevangenen. Wij trokken nog een paar dagen samen op, maar toen werd een nieuwe groep politiemensen en militairen van ons afgesplitst, en van hen hebben we nooit meer iets gehoord. Een van hen was José Libardo Forero,[35] met wie ik tijdens de mars niet meer dan een paar minuten gepraat heb. Ik was mijn kind aan het verzorgen toen hij met een vriend naar me toe kwam om afscheid te nemen. Hij gaf me zijn Nieuwe Testament en een afbeelding van het Kruis en zei: 'Clara, stel je vertrouwen op het Heilig Kruis, ook voor je zoon Emmanuel. Hij laat je nooit in de steek.' Die afbeelding van het kruis plakte ik achter een foto van mijn zoon die ze me maanden later gaven, en beide hield ik bij me totdat ik bevrijd werd. José Libardo heb ik nooit teruggezien, maar aan zijn gulheid en nederigheid denk ik liefdevol terug.

Na het vertrek van hem en de anderen waren er nog achttien gevangenen over. Samen liepen we tot 31 oktober door. Die datum zal ik niet vergeten omdat het Halloween was, en na een periode van veel ontberingen en zelfs honger had ik trek in iets zoets. Ik vroeg dus een stuk ruwe suiker omdat ik dacht dat ze niets anders hadden, en iedereen kreeg inderdaad een stuk. Ik brak het mijne in stukjes om het te kunnen rantsoeneren en bewaarde ze in een plastic tas zodat de mieren er niet bij konden. Elke dag at ik een stukje op, en daardoor kreeg ik wat broodnodige energie terug, want ik was uitgeput.

Een paar dagen later kregen we te horen dat onze groep opnieuw gesplitst werd. De Amerikanen en een paar geüniformeerden werden van de rest gescheiden. Een van hen was kapitein Julián Guevara,[36] over wiens dood we een paar maanden later op de radio hoorden. Op het moment van de splitsing sukkelde hij al met zijn gezondheid, en diezelfde dag maakten ze zelfs zijn kettingen los omdat hij paarse benen kreeg. Datzelfde gebeurde met kolonel Luis Mendieta,[37] die in onze groep bleef en het overleefde – maar we hebben nooit geweten wat hem scheelde. Misschien een vergiftiging.

In november werd onze commandant vervangen door een zekere Jerónimo, die aankwam met een groep jonge guerrillero's om de wacht te houden. Ze leken mij nog kinderen. Volgens mij waren ze hoogstens veertien, en daar liepen ze dan met hun geweer aan de schouder. De nieuwe commandant zei tegen ons: 'Van nu af aan zal niemand meer hongerlijden.' Hij hield woord, want hij wist vlees, yuca, bananen en zelfs groenten zoals wortelen en tomaten te pakken te krijgen. Hij liet er niet alleen soep van maken maar ook een typisch Colombiaans gerecht dat *sancocho* heet en bestaat uit yuca, banaan, aardappel, ui en wat vlees. Onze voeding werd dus aanzienlijk beter. In die periode liepen we niet meer elke dag maar bleven we steeds twee of drie dagen op dezelfde plaats, totdat we ons eind november installeerden op een plaats waar we twee maanden zijn gebleven.

22

Kerstmis

Kerstmis hoort tot de perioden waarin gevangenschap een nog zwaardere last is dan anders. Vooral omdat we gewend waren om met familieleden en vrienden bijeen te komen en die periode in harmonie en gezelligheid en met gebeden en bijzondere gerechten te vieren.

De kerstperiode is in Colombia een lange aaneenschakeling van feesten. Het begint traditioneel op 7 december 's avonds. Dan worden de kaarsen aangestoken als voorbereiding op het feest van de Maagd, dat de volgende dag gevierd wordt. Van 16 tot en met 24 december vindt een novene plaats waarin vrienden en familieleden elke dag bijeenkomen om bijzondere gebeden te zeggen in afwachting van de komst van het kindje Jezus. Als besluit daarvan is het de gewoonte om kerstliedjes te zingen en buñuelos (een soort beignets) en natilla (een soort vla) te eten. Op die dagen wordt ook de kerstboom opgetuigd en de kerstal ingericht om de plaats te verbeelden waar het kind tussen de herders en het vee geboren werd. Op 24 december is er een bijzondere avondmaaltijd en krijgen de kinderen hun cadeautjes. Op 31 december wordt met vuurpijlen en ander vuurwerk de komst van het nieuwe jaar gevierd. De feestelijkheden eindigen op 6 januari met Driekoningen.

In het oerwoud is er niets van dat alles. Er zijn niet eens kaarsen, en het is er 's nachts stikdonker. Dan mis je de menselijke warmte, de goedgeefsheid en de vreugde van de kersttijd nog extra. Het kan 24 of 31 december zijn, maar alle dagen zijn precies hetzelfde. Je eet en doet elke dag hetzelfde. Het enige verschil tussen die dagen en de rest van het jaar is dat je zo mogelijk nog meer gebukt gaat onder melancholie en eenzaamheid. De guerrillero's hebben daar echter geen last van. Ze negeren die feestdagen volledig en gedragen zich alsof ze die dagen niet missen, en hun moeder evenmin.

Maar de kerstperiode van 2004 was de eerste die ik samen met mijn zoon beleefde, en was dus wel degelijk bijzonder. We hadden een wat stabielere verblijfplaats, en ze sleepten ons niet meer van de ene plek naar de andere. We sliepen zo ongeveer in weer en wind, maar het eten was iets verbeterd en ze hadden ons bovendien een radio gegeven waar we 's morgens van vijf tot acht en 's avonds na zessen gezamenlijk naar konden luisteren. Ze hadden ons ook andere dingen gebracht: pakken kaarten, schone kleren en voor Emmanuel een pak weggooiluiers, twee nieuwe zuigflessen en een box – die laatste herinner ik me het best. Emmanuel ging in die tijd al zitten, en ik zette hem in dat ding. Hij had daar een tafeltje met een rode telefoon waaraan hij kon eten, en hij kon er bewegen zo veel als hij wilde. Ze hadden me ook een paar flesjes babyshampoo en een ovaal badje van groen plastic gegeven. Hij vond het heerlijk om in bad te gaan en ik waste hem graag om hem lekker te laten ruiken. Onderdeel van die royale zending was bovendien een soort koelbox van piepschuim met daarin ongeveer vijftig ijsjes. Iedereen kreeg er eentje, en mijn zoon genoot bijzonder van zijn eerste vanille-ijsje met chocolade. Een hele luxe in het oerwoud! Toen het 1 december werd, vroeg ik toestemming om een boompje om te hakken, en dat zette ik midden op het pleintje waar ze het eten distribueerden. Van de verpakkingen van de ijsjes – ik had mijn medegevangenen gevraagd om die voor me te bewaren – maakte ik decoratieve balletjes voor ons kerstboompje, en ik nodigde de anderen uit om mee te helpen. Tot mijn verrassing haalden de vier militairen en politiemannen de kaarten tevoorschijn die ze in andere jaren van hun familie gekregen hadden. Anderen kregen zin om sterren en andere versieringen te maken, en zo zette iedereen zijn eigen stempel op de kerstboom. Achter de boom liepen de kippen en een paar varkens, en mijn zoon genoot erg van die aanblik. Hij sliep nog steeds bij de guerrillera's die hem verzorgden, want in het geval van een militaire aanval konden zij meteen met hem vluchten en zijn leven redden. Maar commandant Jerónimo stond in elk geval soepeler tegenover de tijd die ik met Emanuel doorbracht. Hij stuurde hem al 's morgens vroeg en stond toe dat hij bijna tot de avond bij me bleef. Hij at dus bijna altijd samen met ons en ging ook vaak met ons in bad. Toen de novene aanbrak, fabriceerde een van de politiemannen zo goed mogelijk een rammelaar voor de kerstliedjes, en elke ochtend gingen we bidden en zingen. De commandant gaf ons zelfs drie kippen cadeau: twee witte krielkippen en een mooie haan. De politiemannen moesten ze verzorgen, en eind december werden een paar prachtige kuikentjes geboren. Mijn zoon wist niet wat hij zag! Deze dieren gingen bij onze groep horen en maakten het ons mogelijk een beetje te ontspannen. In die sfeer werd het kerstfeest veel plezieriger. De enige wanklank was de radio, die vertelde dat de zus van een van mijn medegevangenen was overleden. We leefden allemaal met hem mee.

In de kersttijd van het jaar daarna was Emmanuel niet bij me, maar ik had me vast voorgenomen om de novene te houden, te zingen, te bidden, kerstliedjes te zingen en aan mijn zoon te denken, want dat was een manier om me dicht bij hem te voelen. En diverse medegevangenen deden met me mee.

Het andere kerstfeest waaraan ik betrekkelijk goede herinneringen bewaar, was het laatste. Ik verheugde me toen op mijn naderende bevrijding en snakte naar hereniging met mijn zoon. In die periode legde ik mijn lot elke dag in handen van de Allerheiligste en de Maagd en probeerde ik zo kalm mogelijk te blijven.

23

De grote scheiding

Half januari 2005 kreeg Emanuel een wond op zijn linker-
wang, waarschijnlijk veroorzaakt door een muggenbeet. De
wond werd schoongemaakt en met gaas verbonden om hem te
laten genezen. Maar de dagen gingen voorbij en de genezing
bleef uit. De wond werd zelfs groter en erger en brandde kennelijk, want Emmanuel huilde en probeerde het verbandgaas weg
te trekken dat wij na het bad aanbrachten. Ik begon me zorgen
te maken en zei er iets over tegen de nieuwe verpleger die we
hadden – een jongeman van goede wil maar volgens mij niet erg
deskundig. Er waren ook niet veel middelen. Hij had niet eens
leukoplast of pleisters.

Toen de toestand niet verbeterde, vertelde ik het aan commandant Jerónimo, die zei dat het waarschijnlijk leishmaniasis[38] was. Ik vroeg of ze de juiste medicijnen voor zijn behandeling hadden, en hij antwoordde dat ze glucantime voor
kinderen nodig hadden. Emmanuel mocht niet het middel voor
volwassenen krijgen, maar het juiste geneesmiddel was niet
voorhanden en moest in het buitenland besteld worden, wat
door de nabijheid van het leger bemoeilijkt werd. Toen ik dat
hoorde, werd ik nerveus en vroeg ik: 'Maar wanneer hebben
we dat middel hier? Mijn zoon kan niet wachten! Waarom
brengen jullie hem niet naar het internationale Rode Kruis? Ze

kunnen hem daar verzorgen, en hij kan bij mijn moeder verblijven. Je weet heel goed dat dit geen goede omgeving is voor een baby. Je moet zijn leven redden! Je hebt net zelf gezegd dat het leger in de buurt is, en ik moet er niet aan denken dat ik samen met het kind in een militaire operatie verzeild raak. Als jullie het kind aan zoiets blootstellen, ziet iedereen wat een barbaren jullie zijn. We hebben hem door heel moeilijke momenten heen weten te slepen, en jullie mogen hem nu niet laten doodgaan.'

Een paar dagen later was ik op een ochtend met Emmanuel naar de kuikentjes aan het kijken, toen de commandant kwam en zei: 'Je zoon heeft inderdaad leishmaniasis. We nemen hem twee weken mee om hem het middel toe te dienen en brengen hem dan weer terug. Ga je daarmee akkoord?' Zonder er lang over na te denken, antwoordde ik spontaan: 'Natuurlijk. Ik zou hem het liefst zelf wegbrengen.' Hij antwoordde: 'Dat kan natuurlijk niet. Je mag door niemand gezien worden, want anders zijn we er allemaal geweest. Bereid je voor op het afscheid. Op 23 januari is het volle maan. Dan komen we je zoon halen.' Ik smeekte hem om dat te laten doen door de guerrillera die hem al sinds zijn geboorte verzorgde, maar hij werd kwaad. 'Verdomme, wat ben je een ouwe stijfkop! Niemand mag zich laten zien. Geen gevangene zoals jij, maar iemand van de guerrilla al helemaal niet. De schipper neemt hem mee.'

Ik liep ontsteld naar mijn caleta terug en moest me geweldig inspannen om niet te gaan huilen waar Emmanuel bij was. Toch had ik de indruk dat hij iets vermoedde. Een van mijn medegevangenen kwam vragen wat Jerónimo gezegd had. Ik vertelde dat ze het kind twee weken meenamen om hem het geneesmiddel toe te dienen en hem daarna terugbrachten. 'Heb je daar ja op gezegd,' vroeg hij verbaasd. Ik bevestigde dat, want de guerrillero's mochten de verantwoordelijkheid niet kunnen afschuiven bij een eventuele verergering van Emmanuels ziekte en zeggen dat ik hem zelf niet had willen meegeven voor zijn behandeling.

Vanaf dat moment probeerde ik voor Emmanuel van elke dag iets bijzonders te maken en van elk moment met hem te genieten. Als ik hem voorlas, luisterde hij zwijgend, en één keer stak ik zelfs een kaarsje op. Ik zocht een bijbelvers over het geloof, las het hem voor en vervolgde met een paar worden die recht uit mijn hart kwamen: 'Lieve Emmanuel, je bent nog maar heel klein, maar je moet één ding begrijpen: je mama houdt van je. Je bent de zon van mijn leven en we zullen herenigd worden. Heb vertrouwen en twijfel er nooit aan dat het zo zal gaan. Ze gaan je ergens anders naartoe brengen, maar ik zal aan je blijven denken tot de dag waarop ik je terugzie. Wees gerust met de zekerheid dat je niet alleen bent. Ik hou meer van jou dan van wat dan ook, lieve zoon. En hoewel je nog heel klein bent, heb je nu al bewezen dat je iets bijzonders bent. Dat moet een reden hebben. Vergeet niet dat ik van je hou en dat jij van mij houdt. Wij houden van elkaar, en vervoeg dat werkwoord altijd.' Ik blies de kaars uit, gaf hem een kus en omhelsde hem innig. Hij lachte omdat hij dacht dat het een spel was, en ik was blij dat hij niet echt begreep wat er gaande was. Ik nam me voor om niet te huilen en er ook geen dramatisch afscheid van te maken, want ik wilde dat alles zo onnadrukkelijk mogelijk verliep.

Zo werd het 23 januari. Om tien uur 's ochtends kwamen ze Emmanuel brengen. Hij was in bad geweest en had nieuwe kleren aan: een spijkerbroekje en een T-shirt. Hij was op blote voeten, en ik had geen schoenen voor hem.

We brachten samen de dag door, maar toen het donker werd, kwam een van de wachtposten hem halen. Ik had al onder vier ogen afscheid van hem genomen, en dat herhaalde ik nu in alle rust alsof het een normale dag was – allemaal om te voorkomen dat hij de bijzondere aard van dit afscheid begreep. Mijn zoon was in die tijd echt prachtig. Hij had net zulk blond haar als ik toen ik nog klein was, en het was een paar dagen eerder geknipt. Ik had een pluk haar van hem in een doosje, en dat bewaar ik nog steeds. Voordat ik hem aan de guerrillero gaf, omhelsde ik hem liefdevol om hem dicht bij me te voelen en zegende hem.

Die avond kwam de boot, maar ik hoorde alleen het geluid van de wegvarende motor. Zo vertrok mijn zoon Emmanuel, die nog maar acht maanden was, naar een onbekende bestemming, althans voor mij.

Toen de nieuwe dag aanbrak, voelde iedereen – niet alleen ik – zijn afwezigheid. Hij was een soort kampwekker, want hij was altijd de eerste die zijn ogen opendeed, en dan hoorde iedereen hem brabbelen. Zijn vertrek liet een enorme leegte achter.

Ik verviel in een ongekend diepe melancholie en triestheid. Ik bracht de dagen alleen door en wilde met niemand praten. Alleen met heel veel moeite kon ik iets eten. Op een ochtend maakte ik mijn bepakking klaar omdat we naar een ander kamp zouden verhuizen. Ik had een schaar in mijn hand om een kledingstuk te verstellen, maar toen kwam een medegevangene iets tegen me zeggen. Ze zag die schaar in mijn hand en zal er wel heel wat anders van gedacht hebben. Hoe dan ook, even later werd me die schaar afgepakt, hoewel ik die nog erg ging missen. Ze dachten vermoedelijk dat ik zelfmoord ging plegen, maar in werkelijkheid is dat geen moment bij me opgekomen. Hoe verdrietig ik ook was, ik vond altijd dat ik vanwege mijn kind in leven moest blijven.

24

Het wachten

Begin februari verhuisden we opnieuw. Daarmee begon voor mij een nieuwe periode van diep verdriet in gevangenschap. Het kamp waar ze ons naartoe brachten, was koud, onaangenaam en modderig. Er kwamen ook nieuwe commandanten, die zich voorstelden als 45 en Boris. Toen ik naar mijn zoon vroeg, zeiden ze dat ze hem nooit gezien hadden en niets over zijn verblijfplaats wisten. Dat vond ik onthutsend. Tot dan toe hadden de commandanten Emmanuel op z'n minst gekend, en dat maakte de situatie hanteerbaarder en draaglijker. Maar deze mensen hadden nauwelijks van hem gehoord.

Een paar dagen later werden onder de gevangenen radio's verdeeld. Er waren twee grote, nieuwe toestellen voor de hele groep en ik kreeg een kleine, tweedehands radio, vermoedelijk als middel tegen de droefheid waarin ik gedompeld was. Het was een kortegolfradio die het signaal minder goed oppikte dan de twee andere maar wel veel bijdroeg aan een verbetering van mijn situatie, hoe hachelijk die ook bleef. Ik had bijna geen kleren: een stel voor overdag en een stel voor 's nachts. Het was me nog niet gelukt om een spel kaarten te krijgen of een schaakbord of een ander bordspel om de tijd een beetje te doden. Als tijdverdrijf had ik alleen het Nieuwe Testament en een klein boekje over de menselijke evolutie dat een van de militairen me cadeau had gedaan. Mijn nieuwe schrijfblokken waren nog niet gekomen en ik had ook geen garen meer, zodat ik me ook niet meer kon troosten met schrijven of naaien. Met mijn medegevangenen had ik nog steeds een tamelijk kille relatie, en ik was met niemand van hen goed bevriend. En omdat ik zo terneergeslagen was, had ik ook geen zin in de inspanning die het kostte om contact met anderen te zoeken. Ik groette hen 's ochtends en bij de maaltijden vriendelijk, maar niet meer dan dat. Liever bleef ik op afstand om de problemen van de gevangenschap niet nog eens met andere te verzwaren. Zo bleef het de rest van de tijd, afgezien van de korte momenten waarop de routine doorbroken werd.

Door de nabijheid van een rivier was het kamp heel vochtig. Bij elke regenbui raakte alles vol modder. Ik sliep in een hangmat, maar om te voorkomen dat het regenwater zich verzamelde, had ik links en rechts van mijn caleta een soort afvoergoten gemaakt. Ik had het tentje versteld met een stuk garen dat ik nog had, om het langer te kunnen gebruiken, want het was grotendeels opgevreten door de kruipende mieren die me ooit hadden aangevallen. Aan de commandant vroeg ik of ik alsjeblieft een stuk zeildoek mocht hebben om er de *caleta* mee af te sluiten en enige beschutting te geven, want met al die wind en kou dreigden long- en nieraandoeningen. En in die periode waren we net allemaal hersteld van de aandoeningen waaraan we geleden hadden. Koorts en malaria zijn in het oerwoud gewoon, maar bij ons waren ze over. Sommigen hadden alleen nog een probleempje met de spijsvertering, maar dat werd met aspirine verholpen. Elke ochtend en middag probeerde ik een uur te lopen, maar desondanks had ik het altijd koud vanwege het vocht dat tot in mijn botten doordrong.

Op een dag was het grote nieuws dat er nieuwe voorraden waren aangekomen. Bij de maaltijden kregen we nu ook een drank met maïzena of havermout, en omdat ik zag dat er ook melkpoeder was, vroeg ik de commandant om een gunst. Ze gaven me helaas geen melk hoewel dat na de bevalling heel goed geweest zou zijn voor het kalkgehalte in mijn botten, maar nu vroeg ik wel zijn toestemming om voor iedereen rijstepap te laten klaarmaken. Hij had geen idee wat het was – kennelijk had die stakker geen moeder die het voor hem klaarmaakte – en daarom gaf ik hem het recept. De helft van de ingrediënten ontbrak weliswaar, maar ze maakten de pap bij meerdere gelegenheden. Soms deden ze er gewone suiker bij, andere keren ruwe suiker. Mijn moeder maakte dat toetje altijd op Nieuwjaar, en omdat ik naar haar hunkerde, voelde ik me meteen dichter bij haar toen ik de rijstepap at, ook al was die niet zo lekker als de hare.

Op 23 februari was ik drie jaar ontvoerd, en die dag hoorde ik mijn moeder op de radio. Het was buitengewoon emotionerend om haar hakkelend te horen vertellen dat ze de fruitbomen aan het verzorgen was die ik een maand voor mijn ontvoering bij ons buitenhuis geplant had. Voor mij was dat een verrassing, want juist in die tijd had ik met een schoffel de aarde bewerkt. Het was toen alsof ik de behoefte had om naar mijn wortels terug te keren. Het bericht van mijn moeder was dus een schot in de roos, en ik voelde een heel sterke band met haar. De radio bracht bovendien een reportage over haar die door een krant gepubliceerd was. Ik vertelde dat aan commandant Boris, die de tweede man was en de wachtposten vergezelde. Als hij me zag, kwam hij soms naar me toe om iets over de nieuwsberichten te zeggen, maar dat 'naar me toe' was maar betrekkelijk omdat er tussen de gevangenen en onze bewakers van de guerrilla normaal gesproken een minimale afstand van acht meter was. Het was voor mij een opluchting om met hem te kunnen praten over de nieuwtjes die over mijn familie werden uitgezonden, want ik was heel bezorgd als ik hoorde dat ze onder mijn afwezigheid leden. Boris antwoordde niet maar luisterde wel aandachtig. Ik vroeg hem een keer om een krant, en toen barstte hij in lachen uit. De guerrillero's begrepen kennelijk niet dat het voor ons – of in elk geval voor mij – van groot belang was om het nieuws te lezen. Iets horen is niet hetzelfde als iets lezen, maar de guerrillero's vonden dat onzin. Toch bracht hij me een paar dagen later twee veelgelezen Colombiaanse tijdschriften: *Cambio* en *Semana*. Ze waren tamelijk oud maar dat kon me niets schelen. Ik las ze van voor naar achter, en dat was heerlijk omdat ze over van alles en nog wat schreven: van de actualiteit tot de keuken via de gezondheid en de economie...

In april begon Caracol Radio om acht uur 's avonds met het nieuwe programma *Hora 20*, en ik luisterde daar graag naar omdat ik zo op de hoogte bleef van wat er in de wereld buiten het oerwoud gebeurde. Ik kende bovendien veel van de mensen die voor de uitzendingen werden uitgenodigd, en ook dat was een manier om contact met de beschaving te hebben. Ik herinner me nog mijn droefheid toen ik over de dood van paus Johannes Paulus II hoorde. Mijn al bestaande verdriet werd er alleen nog maar veel groter door.

Plotseling werd besloten ons opnieuw te laten verhuizen, en ze brachten ons naar een ander kamp dat op nog geen vier uur lopen van het vorige lag. Wie schetst onze verbazing toen we bij onze aankomst zagen dat de commandant een soort enorme kooi van ongeveer dertig bij vijfenvijftig meter had laten bouwen, afgesloten door een hek van prikkeldraad en bewaakt door twee wachthuisjes van twee meter hoog. Alle gevangenen werden daar opgesloten. Het leek wel een maximaal beveiligde gevangenis. Zelfs de houten loods waarin we sliepen, was aan de binnenkant van prikkeldraad voorzien, en dat gold ook voor de doorgang naar de latrines. We waren overal door stekels omringd, en ik was bang dat we daarin zouden blijven hangen als iemand viel of in het geval van een overstroming.

De militairen en politiemannen hadden echter geen enkel bezwaar tegen ons nieuwe onderkomen, want zodra ze daarbinnen waren, mochten de kettingen om hun hals worden losgemaakt. De anderen hadden niets te kiezen, want zoals de commandant zei, was er geen alternatief. De kooi was te klein, niet alleen om er te lopen maar zelfs om er te slapen. Maar daar moesten we anderhalf jaar blijven, en we zaten er tot eind 2006 gevangen. We hoorden er eind 2005 dat de man van een van de ontvoerden vermoord was.[39] De vrouw was totaal van de kaart, en iedereen was in een diepe droefheid gedompeld. Ik gaf haar het zwarte T-shirt dat ik had om het als teken van rouw te dragen. In mei 2006 kreeg ik te horen dat mijn moeder, de rest van mijn familie en het hele land wisten dat ik in gevangenschap een kind had gekregen. Het was een bijzonder trieste en saaie periode die ik als 'het grote wachten' omschrijf, want ik wachtte nog steeds op nieuws over Emmanuels verblijfplaats. Ik had namelijk niets meer over hem gehoord. Ook volgden we zo aandachtig mogelijk de initiatieven van de regering om ons te bevrijden en de ontwikkelingen bij het zogenoemde 'humanitair akkoord',[40] waarover met horten en stoten onderhandeld werd.

Het nieuwe kamp met z'n kooi van prikkeldraad maakte overigens zo'n vijandige indruk dat tussen de gevangenen nieuwe spanningen ontstonden. Die wisten we echter te beheersen, en het kwam nooit tot ernstige problemen, hoewel een paar mannen wel af en toe een paar klappen uitwisselden, waarna de guerrillero's hen straften door hen weer een paar dagen te ketenen.

Eind november 2006 werden we weer uit het kamp gehaald. Ik voelde me enorm opgelucht toen ik afscheid van die kooi kon nemen, maar de militairen en politiemannen werden weer in de boeien geslagen. We liepen wel een paar weken door het oerwoud, en ik vond het heerlijk om weer in een open ruimte te verblijven. Het was dan wel een dicht bos, maar ik had er een zekere bewegingsvrijheid.

Niet veel later gingen we weer terug naar het kamp met de kooi, en daar brachten we de verdrietigste Kerstmis door die ik me herinneren kan. De helikopters kwamen steeds dichter in de buurt en vlogen rond de plaats waar we waren. De spanningen liepen opnieuw hoog op, totdat ze ons eind december weer ver- huisden.

25

Geruchten over vrijheid

In het nieuwe kamp, waar we heel 2007 bleven, bouwden ze een grote loods van palmbladeren zonder wanden en met een vloer van aangestampte aarde. Daaromheen legden ze een houten gaanderij aan om te lopen, en door de afwezigheid van wanden en deuren voelden we ons minder op elkaar gepropt, wat ik een hele opluchting vond. De militairen en politiemannen moesten echter nog steeds de kettingen aan hun hals dragen, en nu werden die ook bij de burgergevangenen aangelegd, want over de radio hadden we gehoord over een reddingspoging die eindigde met een vlucht. In een ander kamp was bovendien een politieman ontsnapt. De commandanten verdubbelden daarom de veiligheidsmaatregelen en dreigden zelfs de vrouwen te ketenen.

Uit het vorige kamp hadden ze het sanitair meegenomen, en dat was erg prettig. Nu maakten ze een open washok waar we ons konden baden. Het leek wel een camping, maar het regende vaak hard en we waren aan weer en wind blootgesteld. Ik kreeg leishmaniasis aan een voet en had meer dan dertig injecties nodig om de wond te laten genezen.

Ik dacht steeds aan mijn zoon Emmanuel, van wie ik niets meer gehoord had, en bad voortdurend dat het goed met hem ging. De paasweek viel in april. Emmanuel werd in die week drie, en er kwam een golf van wanhoop in me op bij de gedachte dat ik al zo lang van hem gescheiden was. Ik lag in mijn hangmat en schreeuwde minstens twintig minuten zonder ophouden: 'Haal me hier vandaan! Haal me hier vandaan! Haal me hier vandaan!' Mijn geschreeuw was kennelijk tot ver in de omtrek te horen. Iedereen zweeg, en iemand werd naar me toe gestuurd met het verzoek om te kalmeren. Ik lag te zweten van de inspanning. Mijn T-shirt was kletsnat, ik huiverde over mijn hele lichaam en ik voelde me volstrekt en ontroostbaar alleen. Maar het hielp niets.

De volgende dag begon ik aan mijn halfjaarlijkse hongerperiode van negen dagen, die ik opdroeg aan de Maagd. Ik was niet meer opgewassen tegen mijn verdriet en was volstrekt ontroostbaar omdat ik al zo lang niets van mijn zoon had gehoord. Ik wist al twee jaar lang niets meer van hem, en dat was meer dan ik kon verdragen. Volgens mij hoorden we een maand later over de radio dat onderinspecteur van politie Frank Pinchao[41] ontsnapt was. Hij was een van de geüniformeerden die samen met ons in een vorig kamp zat, maar ik kon me hem nauwelijks herinneren en me ook zijn gezicht niet voor de geest halen. Ze interviewden hem op de radio en vroegen hem naar zijn ontvoering, toen ik hem ineens hoorde zeggen: 'Clara heeft in gevangenschap een zoon gekregen, en die heet Emmanuel.'

Dankzij dat bericht begon mijn moeder met de hulp van de media een radio- en tv-campagne om mijn vrijlating te eisen en vooral die van mijn zoon.

Ik hoorde het korte bericht natuurlijk alleen op de radio, maar het werd bijna dagelijks uitgezonden en gaf me nieuwe kracht. Ik kreeg er ook mijn moed mee terug, en die was ik al bijna helemaal verloren. Ik hoorde toevallig ook een paar fragmenten van de brief die ze aan mijn zoon Emmanuel schreef en op de radio voorlas:

'BRIEF AAN MIJN KLEINZOON EMMANUEL

Bogotá, 24 mei 2007
Mijn lieve kleinzoon Emmanuel. Jij, mijn lieve kind,
bent nog maar nauwelijks drie jaar, bent nog maar
nauwelijks uit het ei gekropen en hebt nog niet genoeg
bewustzijn om de werkelijkheid te meten. Je omgeving
is misschien heel groot maar tegelijkertijd heel klein
omdat je er niet aan kunt ontsnappen, omdat ze je niet
vrij laten rondlopen. Je stapjes zijn nog onzeker en je
kunt niet alle gevaren berekenen waarmee je
geconfronteerd wordt. Je hebt je lieve moeder nog
nodig, want zij kan je niet alleen met haar liefde
beschermen maar biedt ook haar hand en houdt je vast
wanneer je struikelt, wanneer je valt. Zij leidt je, zodat
je weg minder riskant en gevaarlijk is. En zij bevrijdt je
van de vele gevaren die ook een kind zoals jij bedreigen.
Maar ze zeggen dat zij niet bij je is. Is dat waar? Is het
mogelijk dat zij je niet kan beschermen? Dat zij niet
voor je kan zorgen? Dat zij je niet haar liefde kan geven
zoals elke moeder hoort te doen? Dat ze haar
gescheiden houden van de anderen? Dat jij van haar
gescheiden bent? Hoe is dat mogelijk? Is er een reden
om jou te laten lijden en je moeder te laten lijden? Ze
laten ook mij, je grootmoeder lijden. Ik heb gehoord
dat je heel knap bent, dat iedereen van je houdt, en dat
ze je op hun manier proberen te beschermen. Op jouw
leeftijd zijn alle kinderen leuk. Ze beginnen de wereld te
ontdekken en te leren kennen en hun eigen plaats te

vinden. Juist daarom loop je zo veel gevaren. Wat zou
ik je graag willen beschermen! Wat zou ik je graag
willen verwennen! Wat zou ik er niet voor overhebben
om je te zien! Wat zou ik er niet voor geven om je in
mijn armen te kunnen nemen! Ik verlang oneindig veel
naar je. Ik herinner me je moeder nog toen ze zo oud
was als jij. Als driejarige was ze erg leuk en had ze een
betoverende glimlach. Juist die momenten zal ik nooit
vergeten. Haar onschuldige glimlach zal ik altijd voor
me zien als ik aan haar terugdenk, en ook haar bolle
rode wangetjes, die zo zacht en aanbiddelijk waren. Ik
herinner me haar blonde pijpenkrullen en moet aan jou
denken, mijn aanbeden Emmanuel. Ik stel me voor dat
je op je knappe moeder lijkt, die vanaf haar
allervroegste jeugd zo veel geluk, zo veel vreugde voor
mij, zo veel vreugde voor haar vader betekend heeft. Na
vier jongens gunde God ons Zijn allermooiste cadeau
met de komst in ons huis van onze geliefde dochter, die
we lieten dopen onder de naam Clara Leticia, wat
"zuivere blijdschap" betekent. Die naam is uitgekozen
door mijn vader, misschien omdat ik voor mijn ouders
evenveel blijdschap betekende als wij voelden toen jij
geboren werd, liefste dochter. Daarom hebben wij
dezelfde naam. De tijden moeten veranderen! Zoals ook
heel veel situaties moeten veranderen... We willen niets
liever dan jullie eindelijk zien en in onze armen nemen.
Heel dicht bij mijn hart voelen.
We willen hun vrijheid, we willen... Is het mogelijk?
WE WILLEN DAT ZE VRIJ ZIJN!
Lieve Emmanuel. Je zult eens groot zijn en deze regels
kunnen lezen. Ik hoop dat het dan voor mij nog niet te
laat is. En dat jij je leven hebt kunnen leiden. Maar

vooral dat je er een nuttige les uit hebt kunnen trekken,
die ons tegenwoordig het leven geeft.
Met al mijn liefde,
Je oma Clara'

Het einde van de brief vermeldde opnieuw het e-mailadres waarop de mensen zich bij de campagne voor onze vrijlating konden aansluiten. Mijn medegevangenen schrokken zich dood. Ze waren bang dat het leger een reddingsoperatie zou ondernemen, maar zeiden niets tegen me, net alsof ze niets van dat alles op de radio gehoord hadden. In die periode hoorden we op de radio ook over de tragedie met de afgevaardigden van Valle del Cauca,[42] een bericht dat bij ons in het kamp insloeg als een bom. Het vergrootte ook onze angst dat wij op dezelfde manier zouden eindigen – als slachtoffer van een paniekaanval bij de guerrillero's.

In de maand juli hoorde ik de president[43] bij meer dan een gelegenheid aan de FARC vragen om mij en mijn zoon vrij te laten. En steeds als ik het hem ferm en vastbesloten hoorde zeggen, keerde mijn ziel weer terug in mijn lichaam en voelde ik me eindelijk gesteund. Nieuw optimisme maakte zich van mijn hart meester, en mijn dagen gingen veranderen. Ik zei er tegen niemand iets over maar begon het idee te koesteren dat het eind van mijn gevangenschap misschien nabij was. De regering had even daarvoor op verzoek van de Franse president[44] een guerrillero[45] vrijgelaten als eenzijdig gebaar om een humanitair akkoord te bevorderen. Er waren ook honderden andere guerrillero's vrijgelaten, onder wie verscheidene vrouwen en een kind van twee. Al die dingen stemden me hoopvol, en dat werd een paar maanden later nog sterker met de benoeming van de vrouwelijke Colombiaanse senator Piedad Córdoba en de Venezolaanse president Hugo Chávez[46] als bemiddelaars tussen de FARC en de Colombiaanse regering ter bevordering van het humanitair akkoord dat tot een vrijlating van gijzelaars moest leiden. In die maanden luisterde ik elke dag naar het nieuws en volgde ik stap voor stap de voortgang van de onderhandelingen over onze vrijlating. Ik twijfelde er volstrekt niet meer aan dat ik rook zag omdat er vuur was.

Toen op 8 december het feest van de Maagd werd gevierd, maakten de guerrillero's iets bijzonders voor ons klaar: gefermenteerde masato (een maïsdrank), gebakken kip en natilla. Het leek me een gebaar dat iets te betekenen had en niet zomaar loos was. Ik zocht een kaars, stak hem aan en bad tot de Maagd zoals nooit tevoren. Ik smeekte tot Haar om mijn vrijlating en die van mijn zoon, want er staat niet voor niets in de bijbel: 'Vraagt, en u zal gegeven worden; zoekt, en gij zult vinden.'

In die maanden schaakte ik veel. Mijn spel was aanzienlijk verbeterd, maar sommige medegevangenen waren op het schaakbord echte strategen. Ik had me de deugd van het geduld eigen gemaakt, en als ik aan het schaakbord zat, kon ik het nieuws even van me afzetten. De tijd verliep dan sneller. Natuurlijk bleef ik elke ochtend mijn drie kwartier lopen en zelfs hardlopen. Mijn eetlust kwam terug en ik vond het eten lekkerder, ook al waren de maaltijd nog net zo als eerst. Bovendien herwon ik mijn innerlijke vrede, want iets in mijn hart zei dat alles goed ging aflopen. Eén keer droomde ik zelfs van mijn zoon en zag ik in mijn droom ons weerzien.

26

De weg naar de vrijheid

Het was de avond van 18 december 2007. We hadden net gegeten, waren aan het afwassen en stonden op het punt om naar bed te gaan, toen iemand de radio aanzette. Een van de politiemannen riep me: 'Clara, luister! Ze zeggen iets over je moeder!' Ik was nog net op tijd bij het toestel om op Radio Caracol te horen zeggen: 'De echtgenote van de Colombiaanse president heeft een telefoongesprek gevoerd met mevrouw Clara de Rojas, terwijl de Hoge Commissaris voor de Vrede contact heeft opgenomen met de dochter van Consuelo González.' Ik wenkte Consuelo en vertelde haar wat ik gehoord had. 'Consuelo, alles gaat goed met jou en met mij ook. Als zulke hooggeplaatste personen onze families bellen, dan doen ze dat omdat ze ons gaan bevrijden!' Maar zij antwoordde: 'Ay, Clara, hou er toch over op...' Ik was zo verbaasd over haar ongeloof dat ik begon te lachen, en zette de radio harder omdat er nóg een bericht kwam. De FARC hadden een communiqué gestuurd naar het Cubaanse persbureau Prensa Latina met de verzekering dat ze mij en mijn zoon Emmanuel gingen vrijlaten. Ik sprong een gat in de lucht van blijdschap en zei tegen Consuelo: 'Zie je wel? Nog vóór Kerstmis ben je bij je dochters thuis.'

Omdat het al bijna donker was, ging ik snel naar het washok

om van het laatste daglicht te profiteren. Ik bleef er een tijdje en probeerde te verwerken wat ik zojuist gehoord had. Ik gooide water in mijn gezicht alsof ik nog wakker moest worden, en was zo gelukkig dat dit fantastische ogenblik nauwelijks tot me doordrong. Het leek me beter om me nog even te beheersen, want de guerrillero's hadden er nog niets over gezegd. Toen ik in mijn caleta terugkwam, bleken mijn medegevangenen het al te weten. Ze vroegen wat ik ervan vond, en ik antwoordde dat we nog maar eens goed naar de nieuwsberichten moesten luisteren en meer te weten moesten komen over wat er gaande was, want de commandanten hadden nog geen enkele mededeling gedaan.

Ik glipte meteen onder mijn klamboe en probeerde tot bedaren te komen maar zwom in een zee van emoties. Ik stelde me voor hoe mijn moeder het nieuws ontving en hoopte dat ze sterk genoeg was om het te verwerken. Ze was namelijk al vijfenzeventig, en dit waren heel sterke emoties. Ik dacht ook aan mijn zoon. Ik probeerde me het weerzien voor te stellen en bad om de kalmte die nodig was om het onder ogen te zien.

Ook mijn medegevangenen gingen onder hun klamboe liggen. In afwachting van verdere berichten zweeg iedereen. Om acht uur 's avonds herhaalde de nieuwslezer van de radio de berichten die al uitgezonden waren, en ditmaal hoorde ik het FARC-communiqué in zijn geheel. Ze wilden mij en mijn zoon Emmanuel zonder voorwaarden vrijlaten![47]

Ik was dolgelukkig en huilde. Eindelijk zou ik mijn kind terugzien. Ik had een paar wafels opgespaard en besloot deze te bewaren totdat ik hem terugzag, want dan kon ik hem iets geven. Ik liet ook al mijn bezittingen de revue passeren, want bij mijn vertrek kon ik alleen het uiterst noodzakelijke meenemen. Ik zag me mijn familie al omhelzen en werd steeds blijer.

Naar de radio luisterend viel ik eindelijk in slaap.

De volgende dag werd ik heel vroeg wakker. De zon was nog niet op maar ik begon meteen te bidden dat alles goed af zou lopen. Toen de dag eenmaal was aangebroken, stond ik op om naar de latrine te gaan. Onderweg kwam ik Consuelo tegen, die eindelijk glimlachte. Ik vroeg: 'Geloof je het nu? Of nog steeds niet?' Ze begon te lachen, en het was prachtig om haar zo blij te zien. Ik ging naar mijn hangmat terug en hoorde op de radio zeggen dat het 19 december 2007 was. Mijn medegevangenen hadden de gemeenschappelijke radio aangezet. Er werden familieberichten uitgezonden. Veel mensen deden mij en mijn zoon Emmanuel de groeten, en dat was erg prettig. We zaten allemaal aan de radio gekluisterd totdat ze de koffie brachten, die we zelf moesten inschenken. Mijn medegevangenen vroegen welk kerstcadeau ik voor mijn zoon ging kopen. Alles bracht nieuw licht in mijn hart, dat van plezierige gedachten vervuld was. Maar ik durfde geen antwoord te geven, want ik wist heel goed – hoewel ze er niets over zeiden – hoe verdrietig het voor hen was dat ze zelf niet bevrijd werden. Ik bedankte hen dus alleen voor hun goede wensen.

In de loop van de ochtend ging ik baden en brachten ze de middagmaaltijd. Consuelo ging het eten ophalen en vroeg me of ik al besloten had wat ik mee ging nemen. Ik zei: zo weinig mogelijk. Ik had mijn tentje, mijn hangmat, mijn extra kleding, de brieven, mijn radio en mijn Nieuwe Testament – het enige boek dat ik had – al uit mijn rugzak gehaald, plus het stuk leer van de slang die ze in de rivier hadden gevonden. Ik wilde bijna alles achterlaten voor de militairen. De schrijfblokken die ik had volgeschreven, besloot ik te verbranden voordat de guerrillero's ze opeisten, en daarom stak ik ijlings een vuur aan. Ze riepen me en zeiden dat ik het moest doven omdat het veel rook verspreidde, maar toen waren ze al verbrand.

Tegen de avond had ik mijn weinige bezittingen al verdeeld en was de lijst klaar: een stel kleren voor de nacht, een handdoek om me af te drogen, een linnen hangmat die weinig woog, en een stuk plastic voor op de grond. Ik besloot de klamboe en zelfs de afwasbak achter te laten maar nam wel toiletspullen mee: het flesje shampoo dat ik voor bijzondere gelegenheden bewaarde, een zeepje, mijn tandpasta en mijn tandenborstel. Ik haalde ook mijn spiegeltje en nagellak tevoorschijn, want ik vond dat ik die nu eindelijk nodig had. En ik pakte met veel zorg de bandjes in die ik voor mijn moeder en mijn zoon Emmanuel gebreid had, plus het levensteken dat ik enige tijd daarvoor geschreven had. Toen ik klaar was, liep ik naar een paar militairen en zei: 'Ik heb jullie niet zien schrijven. Ik stel voor dat jullie een paar berichten voor thuis opstellen, ook al hebben ze nog niets gezegd. Jullie kennen die lui. Van het ene moment op het andere moeten we weg, en dan hebben jullie nog niets klaar. Dat zou absurd zijn.'

Later zocht ik Consuelo op, en ik zei tegen haar: 'Ik neem aan dat je al klaar bent.' Ze begon te lachen en antwoordde: 'Clara, vergeet niet dat ze nog helemaal niets gezegd hebben.' 'Maak je maar niet ongerust,' antwoordde ik. 'En bid tot God dat alles goed afloopt.'

Ik hield me die nacht voor dat ik mijn best moest doen om goed te slapen en uit te rusten, want ik wist niet wat de dagen daarna zouden brengen. En dat deed ik.

De volgende dag was het 20 december, mijn verjaardag – de gelukkigste in lange tijd. Ik straalde van blijdschap. Toen we de radioberichten hadden gehoord, kwamen diverse medegevangenen me groeten. Iemand durfde me zelfs naar mijn leeftijd te vragen. Ik begon te lachen en antwoordde: 'Vanaf vandaag ga ik de jaren van mijn leven terugtellen, geloof ik. Alleen al de gedachte aan de vrijheid maakt me jaren jonger.' Hij wilde echter met alle geweld weten hoeveel jaar ik werd, en ik zei: 'Gelukkig zijn mijn klasgenootjes er niet bij, want niet iedereen zou het prettig hebben gevonden als ik mijn leeftijd verklapte. Ik was namelijk een van de jongsten van de groep. Toch is mijn leeftijd identiek met volwassenheid.' Iedereen begon te lachen. Een van de mannen zei terwijl hij schertsend naar een andere gevangene wees: 'Daar staat de uitzondering die de regel bevestigt.'

Daarna baden we de kerstnovene met kolonel Mendieta, zoals we elk jaar deden. En toen we daarmee klaar waren, kwamen diverse medegevangenen naar me toe om me berichten voor hun familieleden te geven. Het waren hartverscheurende momenten. Iedereen huilde ontroostbaar, en bij het horen daarvan kreeg ik een brok in mijn keel. Zo waren we nog bezig toen de commandant kwam. Hij riep Consuelo en mij en zei: 'Jullie vertrekken meteen! Pak je spullen, maar alleen het hoogstnodige! Jullie vertrekken meteen!' Het zat hem kennelijk dwars. Ik liep snel naar mijn caleta – gelukkig had ik alles al klaar. Een van de militairen kwam me een afscheidskus geven en gaf me een brief voor zijn moeder en zijn zoon. Ik verborg hem goed. Ook de ex-gouverneur van Meta[48] kwam. Ik moest van hem de groeten doen aan zijn vrouw en haar vertellen welke gezondheidsproblemen hij had. Toen liep hij met me mee naar de poort. Zijn gezicht was het laatste wat ik van de gevangenen zag. Het was getekend door een immens en onbeheersbaar verdriet. Het staat me nog steeds levendig bij. Toen we uit de caleta vertrokken, begonnen diverse medegevangenen bij het afscheid te huilen. Anderen zwegen wanhopig. Het was een hartverscheurende toestand, en intussen brulde de commandant: 'Opschieten daar! Jullie hebben zeker geen zin! Schiet op!' Consuelo liep achter me en vroeg of ik alles had ingepakt. Ik antwoordde van wel want de dag daarvoor stond alles al klaar.

Ze brachten ons naar de uitgang van het kamp. Daar stond een loods met een vloer vol zaagsel, waar kennelijk van alles bewaard werd. Er stond een zaagmachine en er lagen zakken met iets wat blijkbaar kippenvoer was. We moesten er de hele dag blijven, maar aan het eind van de middag kwam de commandant om de brieven in beslag te nemen die de andere gevangenen ons gegeven hadden. Het leek ons erg wreed, maar om te voorkomen dat hij ons fouilleerde, konden we niets anders doen dan gehoorzamen. Toen vroegen we hem om levenstekenen van de andere gevangenen door te geven, want voor hun families was het ondraaglijk om geen directe berichten van hen te krijgen. Hij liet ons onze rugzakken inpakken en bracht ons naar het kamp waar zijzelf overnachtten. Daar installeerden we ons in een caleta, waar we door twee guerrillero's bewaakt werden. We vroegen hem een radio te leen om naar de nieuwsberichten te kunnen luisteren. Daarna brachten ze ons eten en zei ik tegen Consuelo dat we moesten bidden. In dat kamp bleven we tot tien uur 's avonds. We hoorden in de buurt helikopters vliegen, en dat baarde ons veel zorgen. Alle guerrillero's waren in een staat van hoogste paraatheid gebracht. Ineens zei een van de bewakers dat we ons moesten klaarmaken om te voet te vertrekken. Ik hees mijn nog steeds loodzware bepakking op mijn rug. Op dat moment kwam een andere commandant ons ophalen. We hadden hem nooit eerder gezien maar moesten hem volgen. Toen we uit het kamp vertrokken, passeerden we de plaats waar commandant 45 met zijn vrouw en ongeveer tweejarige kind stonden te wachten. Ik nam afscheid van hen door mijn arm te heffen. Het was heerlijk om te weten dat ik hen nooit meer te zien zou krijgen. Ik liep door en hoorde niet eens meer wat ze tegen me zeiden.

Mijn rugzak was zo zwaar dat mijn hele rechterarm ervan ging slapen, en ik moest blijven staan om de riemen bij te stellen en de last beter te verdelen. Maar de nieuwe commandant, die Isidro heette, spoorde me tot haast aan: 'Clara, je moet je nu echt haasten. We moeten voor het donker bij de boot zijn.' Ik reorganiseerde mijn rugzak zo goed mogelijk en liep met veel moeite door. Intussen was ik aan het bidden. Ik hield me ook voor dat ik op dat moment niet ziek of misselijk mocht worden, want ik was op weg naar de vrijheid. Daarmee was ik echter nog niet minder zenuwachtig, en er vlogen nog steeds helikopters over. We liepen ongeveer een uur flink door, en toen we op de plaats kwamen waar de boot lag – daarmee zouden we onze tocht vervolgen – was het al donker. Voor ons vertrek hadden we allemaal een paar zakjes witte rijst, wat stukjes vlees en een paar rijpe bananen gekregen. We stapten in de boot en gingen naast elkaar in het achterste deel op een plank zitten. Daar was heel weinig beenruimte omdat daar ook onze bepakkingen moesten staan. Commandant Isidro en twee andere guerrillero's gingen voorin zitten. Om een uur of zeven 's avonds vertrok de boot eindelijk. We hadden geen dak boven ons hoofd en stonden dus bloot aan de koude wind die in ons gezicht blies. Om de zakken met eten niet nat te laten worden, dekten we ze goed af. Ik zat heel ongemakkelijk omdat er nauwelijks ruimte was om mijn benen neer te zetten, maar ik bleef herhalen: we zijn op weg naar de vrijheid. Ik moet me positief opstellen.

De boottocht duurde tot zonsopgang. Voor mij was het verschrikkelijk zwaar. Ongeveer halverwege stapten drie jonge vrouwen en twee jongemannen in – allemaal guerrillero's. De rivier was onze hele wereld, want verder zagen we niemand.

De tien dagen daarna trokken we te voet en per boot verder. Elke dag waren we ergens anders, maar we kregen geen enkele inlichting over hoe en waar we in vrijheid zouden worden gesteld. Slechts één keer bleven we een paar dagen op dezelfde plaats.

27

Operatie-Emmanuel

Commandant Isidro had gelukkig een radio, en tijdens die dagenlange mars konden we er 's morgens vroeg en aan het begin van de avond een tijdje naar luisteren. Zo bleven we op de hoogte van wat er rond onze vrijlating gebeurde. We ontdekten dat er sprake was van een operatie die gecoördineerd werd door de Venezolaanse president met medewerking van het internationale Rode Kruis en een delegatie uit allerlei landen onder leiding van een voormalige Argentijnse president.[49] We hoorden zelfs dat er een hele menigte journalisten uit de hele wereld was gekomen, inclusief een filmregisseur,[50] om onze vrijlating vast te leggen. Ik vond dat allemaal ongelooflijk en nogal verwarrend.

Maar naarmate de dagen verstreken werd ik steeds ongeruster omdat mijn zoon niet kwam. De commandant vertelde ook helemaal niets over hoe alles ging verlopen, en ik begreep niet waarom de FARC nog steeds niet de coördinaten hadden opgegeven waar het Rode Kruis ons kon komen ophalen. Het was goed weer en de zon scheen, maar dat kon geen obstakel voor een goede afloop zijn. Het leger zat ons echter op de hielen. Er vlogen voortdurend helikopters rond, en dat vergrootte onze spanning alleen maar. Eén keer hoorden we zelfs geluiden die kennelijk bommen en geweerschoten waren; onweer kon het niet zijn, want het regende niet en de hemel was onbewolkt. Het konden dus alleen ontploffingen zijn geweest. We bevonden ons overduidelijk in een gebied waar militaire operaties plaatsvonden. Maar in elk geval stond vast dat we in de buurt van de beschaving kwamen, want op de oever van de rivier zagen we af en toe een huisje. Er was blijkbaar een dorp in de buurt, en dat was een opluchting. We lieten het oerwoud achter ons.

Zo brak de laatste dag van het jaar aan. De commandant had bevolen om een paar kippen te slachten die ze hem voor onderweg meegegeven hadden, en we hadden dus prima gegeten. Dat was maar goed ook, want we aten al dagenlang alleen bananen en vis. We hadden zelfs een zak melkpoeder, en ik vroeg een guerrillera om alsjeblieft rijstepap klaar te maken om er het nieuwe jaar mee te vieren. Consuelo vond het niet erg lekker maar proefde het toch. En daaraan waren we bezig – we aten de rijstepap terwijl het al donker werd – toen de commandant de radio aanzette en Consuelo ineens riep: 'Ay, Clara, de operatie is opgeschort!'[51] Ik had niets gehoord en antwoordde daarom ontspannen: 'Dat is doodnormaal. Iedereen gaat op de eenendertigste naar huis om Oudjaar te vieren en komt dan terug. We zijn nu eenmaal allemaal *latinos*, en het feest roept. Wind je niet op.'

Zonder verder aandacht aan haar te besteden ging ik naar de latrine en dacht na over wat ze gezegd had. Ineens werd ik opnieuw geroepen: 'Clara! Kom gauw! De president heeft Emmanuel gevonden!' Ik draaide me om, begon te rennen en stortte me in angstige spanning op de radio. President Uribe ontvouwde een theorie over mijn zoon. Het Instituto Colombiano de Bienestar Familiar (Colombiaanse kinderbescherming; ICBF) bleek al meer dan twee jaar een kind onder zijn hoede te hebben, en dat kind zou mijn zoon kunnen zijn.[52] Ik beefde over mijn hele lichaam en mijn hart sloeg een slag over toen ik dat hoorde. Ik draaide me om naar commandant Isidro, die mee-luisterde, en vroeg hem met wapperende handen: 'Maar hoe kan dat? Jullie hebben toch gezegd dat ik mijn zoon terug zou krijgen?' Hij zweeg hardnekkig omdat hij echt nergens van op de hoogte was. Vervolgens luisterden we naar het nieuws, en toen kwam er een verklaring van de Venezolaanse president Hugo Chávez: 'Laten we vurig hopen dat het kind Emmanuel de zoon van Clara Rojas, is. Laten we vurig hopen dat het waar is...!'

Ik was heel erg dankbaar voor zijn woorden en hoopte net als Chávez van ganser harte dat mijn zoon al in vrijheid was ge-steld, want dan kon mijn moeder hem zien. Consuelo keek me aan en vroeg me wat er nu ging gebeuren. Ik zei: 'Het wordt er alleen maar makkelijker op, want de FARC hoeven nu alleen nog maar ons tweeën over te dragen.' De commandant bracht daar tegenin: 'Wacht nog even. Er komt nog een DNA-proef.'

Die eenendertigste december ging ik uiterst opgewonden sla-pen. Ik had veel gehoord en het kostte veel moeite om het te analyseren. Ik zou veel rustiger zijn geweest als ik toen al gewe-ten had dat mijn zoon onder de hoede van het ICBF was ge-weest, want daar was ongetwijfeld goed voor hem gezorgd en het zou voor mij dan makkelijker zijn om te achterhalen hoe het in die jaren met hem was gegaan.[53] Ik kende het ICBF als een heel serieuze staatsinstelling die overal in het land werkzaam was en een uitstekende reputatie had. Het instituut is enkele tientallen jaren geleden gesticht om dakloze kinderen te be-schermen en te verzorgen. Ik ging dan ook naar bed met de hoop dat alles waar zou zijn.

Op de eerste dag van het nieuwe jaar werd ik heel vroeg wakker. Ik bruiste van optimisme omdat de twijfels over de verblijfplaats van mijn zoon eindelijk werden weggenomen. Binnenkort zou ik mijn familie terugzien. We zetten de radio aan, die muziek uitzond, en even later hoorde ik het lied van Jan Manuel Serrat: 'Reiziger, er is geen weg, de weg ontstaat door te reizen, klap na klap, kus na kus, de weg ontstaat door te reizen.' Het was ontroerend om te horen, en ik bleef het neuriën. Om zes uur 's ochtends klonk het volkslied, en ik was zo zenuwachtig dat de muziek tot in het diepst van mijn ziel doordrong. Vanbinnen jubelend ging ik staan om het plechtig mee te zingen. Ik had het gevoel dat ik alweer thuis was en terugkwam uit het buitenland. Daarna luisterden we naar het nieuws, en ik hoorde tot mijn verrassing dat allerlei functionarissen van het ICBF en het openbaar ministerie ondanks de feestdag van 1 januari naar Caracas waren gegaan om DNA-proeven te doen bij mijn moeder en mijn broer, die daar op me wachtten.[54] Alles leek wel een droom. En het leek me een bewijs van een buitengewone edelmoedigheid dat die staatsambtenaren ijverig genoeg waren om ondanks de feestdag op reis te gaan. Afgaande op de nieuwsberichten kon de uitslag van de DNA-proef drie tot tien dagen op zich laten wachten. Wie schetst dus mijn verbazing toen al op 4 januari het eerste resultaat bekend werd gemaakt, een resultaat dat door een Spaans laboratorium onderschreven werd. Volgens die proef was het kind dat het ICBF onder zijn hoede had gehad, inderdaad mijn zoon Emmanuel. Toen ik dat hoorde, barstte ik zo ongeveer van blijdschap en was ik zodanig in de zevende hemel dat zelfs de lange dagmarsen mijn kracht en animo niet konden aantasten.

Ik voelde me heel dicht bij mijn familie, des te meer omdat ik hen bijna dagelijks op de radio hoorde zeggen dat ze op me wachtten, maar Consuelo was er slechter aan toe. Ze bleef hoogst ongerust omdat de guerrillero's nog steeds niet de coördinaten hadden opgegeven waar we aan president Chávez overgedragen zouden worden, en ze was bang dat ze ons uiteindelijk niet zouden laten gaan. Ze vroeg de commandant zelfs om ons terug te brengen naar het kamp waar de andere gevangenen waren. Ik begreep haar angst niet en probeerde haar zo goed mogelijk te kalmeren: 'Consuelo, maak je niet ongerust, denk aan je dochters. Over een paar dagen zie je ze. Echt heel binnenkort. We zijn zo dicht bij de beschaving dat ze zich in deze fase niet meer kunnen terugtrekken. Denk alsjeblieft aan je dochters en je kleinkind, met wie je binnenkort kennismaakt.' Ik ging in mijn hangmat liggen en probeerde te bidden. Ik vroeg de Maagd namens ons tweeën om ons met kracht en zelfvertrouwen te vervullen en genoeg geloof te schenken om zeker te weten dat alles goed ging aflopen. Ook vroeg ik dringend te zorgen dat commandant Isidro niet inging op Consuelo's verzoek. Zelf had ik besloten om in afwachting van de gebeurtenissen voorzichtig te zwijgen. Ik had het volste vertrouwen in een goede afloop en luisterde aandachtig naar de nieuwsberichten, die ik vanuit mijn juridische achtergrond woord voor woord analyseerde om er conclusies uit te kunnen trekken. Ik wist dat het einde in zicht was, en we moesten geduldig zijn zonder wanhopig te worden.

De dagen daarna liepen we door. We waren kennelijk op een landgoed, want we zagen schuurtjes met emmers en landbouwwerktuigen. Op 9 januari was onze tocht loodzwaar omdat we een immens maïsveld met veel palmen en bananenplanten doorkruisten. De grond lag bezaaid met droge bladeren en het lopen kostte veel moeite. Veel vliegen zoemden rond ons hoofd en waren een vreselijke kwelling. Ik was bovendien bang voor opduikende slangen en schorpioenen. Eindelijk bereikten we een plek waar we te horen kregen dat we er de nacht zouden doorbrengen. Ik was gevloerd en had er de pest over in dat we nergens onze hangmat konden bevestigen. Vanwege de vele bladeren konden we niet op de grond slapen. Daarom bonden we de hangmatten zo goed mogelijk en dicht bij elkaar vast en probeerden de grond eronder een beetje van onkruid te ontdoen. Boven mijn hangmat hing ik de klamboe die de commandant me geleend had, maar ik lag heel ongemakkelijk omdat mijn linnen hangmat erg smal was. We waren in de buurt van een riviertje en ze vroegen ons of we ons daar wilden baden, maar het werd al donker, en ik waagde me voor geen prijs in dat donkere water, dat ongetwijfeld vol spinnen en andere beesten zat. Ik riep nee en bleef in mijn hangmat. De commandant had de zijne op een meter of vijf van de onze gehangen en zette de radio hard zodat we mee konden luisteren. President Chávez was aan het woord: 'Ik heb zojuist de coördinaten gekregen! De FARC dragen Consuelo en Clara morgen over! Het Colombiaanse leger zal zijn militaire operaties vanaf vijf uur 's ochtends, Colombiaanse tijd, tien uur lang opschorten.'

Ik werd dolgelukkig bij het idee dat dit onze laatste nacht in gevangenschap ging worden. Het was al helemaal donker. Ik probeerde me te ontspannen, deed moeite om een beetje uit te rusten en lag in mijn hangmat te woelen totdat de slaap me overmande. Ik werd echter een paar keer wakker omdat de muggen me ondanks de klamboe levend opvraten en aan alle kanten staken. Voortdurend hield ik voor ogen dat de grote dag bijna aanbrak, maar voordat het zover was, trok een ongelooflijke reeks droombeelden aan me voorbij.

Om vijf uur 's morgens was ik al op en stond ik klaar. Ik vroeg toestemming om te baden, want ik wilde het zweet en de stank van het oerwoud kwijtraken en op het moment van mijn bevrijding schoon zijn. Consuelo ging meteen met me mee. Het riviertje was inderdaad afschuwelijk, maar overdag leek het minder dreigend. Ik deed schone kleren aan en stopte de rest in mijn rugzak. Daarmee was mijn bepakking klaar. Ze zetten de radio aan, en ik hoorde mijn broer Iván, die onderweg was naar het vliegveld van San José del Guaviare om mee te gaan met de Rode Kruis-helikopters, om ons in het oerwoud op te pikken en met ons door te vliegen naar Venezuela.[55] Het was buitengewoon emotioneel om te bedenken dat een dierbare op weg was naar ons weerzien.

Ze boden ons wat te eten aan. Ik had geen honger maar at desondanks een hapje omdat we niet wisten wat de dag voor ons in petto had. Daarna poetste ik mijn tanden en bekeek mezelf in mijn spiegeltje. Ik keek uitgeput maar gelukkig. Ik dacht aan mijn moeder. Wat zou zij van me vinden? En vervolgens dacht ik aan mijn zoon, die ik al heel lang niet gezien had. Hoe zou het weerzien met hem zijn?

De commandant wees een groep mannen aan om ons te vergezellen. In de dagen daarvoor had een tiental guerrillero's zich bij ons aangesloten. Sommigen gingen met ons mee, anderen bleven achter. We liepen ongeveer een uur en bereikten toen een vlak terrein zonder begroeiing. Het was een uur of tien 's morgens. Ik liet met een immense opluchting de bomen achter me en zag de zon aan een open hemel branden. Wat was het heerlijk om hem te zien schitteren en zijn warmte op mijn gezicht te voelen na de vele jaren die ik in het dichte, vochtige oerwoud had liggen rotten. Op dat terrein troffen we een andere groep van ongeveer twintig guerrillero's. Ik schrok van zo veel gewapende en militair uitgedoste mannen. Het grootste deel bestond uit indianen met een donkere huid en een door de oorlog verweerd gezicht. Er waren ook diverse vrouwen bij, en zij boden ons wat water met citroen aan. Ze maakten kruit en vuurpijlen klaar om naar de helikopters te seinen waar we precies waren. De soldaten zetten ons aan de oever van een rivier onder een paar bomen zodat we in de schaduw zaten. De zon brandde namelijk al fel en verbrandde onze huid.

Na een tijdje hoorden we het onmiskenbare geluid van een paar helikopters. Op dat moment werd ik ineens verschrikkelijk bang omdat alle guerrillero's hun wapens richtten om in de lucht te schieten. Maar commandant Isidro riep: 'Wapens omlaag!' Ik dacht dat de helikopters ons over het hoofd zagen, en riep vertwijfeld: 'Laat ze niet weggaan! Laat ze niet weggaan!' Ik rende uit de schaduw vandaan en probeerde met een witte doek signalen te geven. Ook de guerrillero's begonnen te zwaaien met alles wat ze bij zich hadden, en gaven rooksignalen totdat we de helikopters zagen terugkomen. Wat een blijdschap! De commandant vroeg me kalm te blijven totdat de toestellen geland waren.

Eindelijk stonden ze op de grond, maar aanvankelijk kwam niemand naar buiten. Ik begreep niet waarom ze zo lang wachtten met uitstappen. Pas na een paar minuten, die wel een eeuwigheid leken, kwamen een paar mensen in het uniform van het internationale Rode Kruis tevoorschijn. Ik rende naar hen toe en was me niet eens bewust van het moment waarop ik alles achter me liet. Meteen zag ik het vrouwelijke senaatslid Piedad Córdoba, die met haar rode jurk en tulband wel een filmster leek. Het was heerlijk om haar te zien. Naast haar stonden anderen, die zich aan me voorstelden: de Venezolaanse minister van Binnenlandse Zaken[56] als leider van de operatie en de Cubaanse ambassadeur in Venezuela.[57] Allemaal omhelsden ze me. Er waren ook journalisten die vroegen of ze foto's van me mochten maken om ze naar de hele wereld te sturen. Ik kon niets anders doen dan toestemmen.

Ik stond te popelen om te vertrekken maar zag ineens dat leden van het Rode Kruis de commandant een formulier lieten tekenen waarbij hij me overdroeg. Mij leek dat overdreven formeel. Ik wilde niets liever dan instappen en het oerwoud achter me laten. Er waren te veel guerrillero's om me heen, en ik voelde me niet op mijn gemak. De Venezolaanse minister gaf me ineens een satelliettelefoon: niemand minder dan president Chávez wilde me feliciteren. Ook hij was kennelijk erg emotioneel, en het eerste wat ik deed, was hem van ganser harte bedanken voor zijn inspanningen. Daarna gaf ik de telefoon door aan Consuelo, en ik zag de minister blikjes frisdrank uitdelen aan de guerrillero's. Ik stond doodsangst uit omdat we nog steeds niet vertrokken. Een paar guerrillera's die we daar getroffen hadden, kwamen afscheid van ons nemen. Consuelo omhelsde hen, en toen dat tot me doordrong, waren ze al zo dichtbij dat ik wel hetzelfde moest doen. Later hoorde ik alle mogelijke commentaren over dit afscheid, want misschien leden we wel aan het stockholmsyndroom... Maar ik troostte me met de gedachte dat beleefdheid nooit kwaad kan. Wij waren immers op weg naar de vrijheid en verloren er niets mee door vriendelijk te zijn, zeker niet nu allerlei anderen nog steeds gevangen waren.

Eindelijk mochten we instappen. In de helikopter boden ze ons schone kleren aan plus water om ons te wassen, iets waar ik meteen enthousiast gebruik van maakte. Daarna installeerden de andere passagiers zich. Onze medereizigers waren Piedad Córdoba, de Venezolaanse minister met zijn vrouw, twee Zwitserse afgevaardigden van het internationale Rode Kruis, een paar verpleegsters en de bemanning. Toen eindelijk het luik dichtging en het toestel opsteeg, voelde ik me zo vrij als een vogeltje. Wat een geluk! Iedereen was ontroerd, en ik was onder de indruk van de Venezolaanse minister, die met zijn menselijke warmte de hele situatie beheerste. Ik zag dat hij zich eindelijk kon ontspannen, en ook hij was opgelucht omdat hij ons gezond en wel naar huis kon brengen.

Tijdens de vlucht kwam een bemanningslid naar me toe. Hij zette me een koptelefoon op, en bij wijze van welkom hoorde ik een lied van de Colombiaanse zanger Jorge Celedón, dat op dat moment populair was: 'Ay, wat is het leven mooi...'

Het werd een heel ontroerende reis. Ik keek door het raampje naar het prachtige landschap en zag onder ons het oerwoud verdwijnen waarin ik zes jaar had doorgebracht. De vlakte kwam steeds dichterbij. We vlogen in ongeveer anderhalf of twee uur naar de Venezolaanse grens en landden in de plaats Santo Domingo in de deelstaat Táchira, die al tot Venezuela hoort.

Bij het uitstappen bleek het vliegveld vol journalisten te staan. Op dezelfde startbaan stapten we over in een vliegtuig dat wel op het presidentiële toestel leek en in elk geval heel gerieflijk was. De leden van het internationale Rode Kruis gingen al niet meer mee, maar wel kwam de Cubaanse ambassadeur in Venezuela bij ons zitten. Dat was een heel plezierige man die me het hemd van het lijf vroeg. Ik probeerde hartelijk te reageren, maar mijn geest was al bij mijn familie, en ik weet nog maar nauwelijks waarover we het gehad hebben. Vlak voor onze aankomst deed Piedad iets heel vrouwelijks: ze bood me haar toilettasje aan, zodat ik me wat kon opdoffen. Dat vond ik een bijzonder geslaagd aanbod, en ik nam het met beide handen aan.

28

Weerzien

Het vliegtuig landde, en ik zag vanuit het raampje al meteen dat het vliegveld Maiquetía in de buurt van Caracas vol mensen stond. Rond het trapje van het vliegtuig verdrongen zich talloze verslaggevers. Ik bleef reikhalzend kijken of ik iemand herkende, en eindelijk onderscheidde ik in de verte mijn moeder, die langzaam dichterbij kwam. Ik stapte als een van de laatsten uit, en toen ik eenmaal buiten stond, zag ik mijn nicht María Camila, de oudste dochter van mijn broer Iván, tussen de journalisten staan. Ik herkende haar nauwelijks omdat ze heel lang en knap was geworden. Bij mijn ontvoering was ze een meisje van nauwelijks elf geweest, maar nu was ze zeventien. Ze omhelsde me en liep met me mee naar mijn moeder. Het verbaasde me dat ze zo langzaam liep en een rollator nodig had. Haar ogen verrieden haar uitputting, maar ik was dolblij dat ik haar gezond en wel voor me zag. Terwijl ik naar haar toe liep, bedacht ik wat een zegen dat moment was. Toen ik voor haar stond, nam ze mijn gezicht tussen haar handen, zoals ze ook deed toen ik nog een jong meisje was. Ze keek me strak en met fonkelende ogen aan, maar uiteindelijk verwelkomde ze me met een omhelzing. Tijdens mijn gevangenschap had ze diverse malen te horen gekregen dat ik dood was, maar dat had ze altijd geweigerd te geloven. De hoop op een weerzien had ze nooit opgegeven.

Hand in hand liepen we naar de zaal die voor ons in gereedheid was gebracht. Bij de deur gaf mijn nicht me haar mobiele telefoon omdat Radio Caracol belde. Het was buitengewoon emotioneel te bedenken dat mijn landgenoten net zo op mij wachtten als ik op hen, hoewel ik nog maar net in Venezuela was. Ze begroetten me met veel genegenheid en vroegen hoe ik me voelde. Het waren heel ontroerende momenten. De Venezolaanse minister van Buitenlandse Zaken[58] kwam met een paar ambtenaren naar me toe en ik praatte een tijdje met hen. Ondanks de warmte in Caracas had ik het koud. Ik dronk een kopje koffie dat ze me aanboden, en toen zeiden ze dat president Chávez in het Miraflores-paleis op ons wachtte.

Ze zetten ons in een hele rij auto's, en toen vertrokken we in een lange stoet. Onderweg zagen we talloze mensen op straat met borden en spandoeken waarop we welkom werden geheten. Het begon al donker te worden toen we bij het paleis waren. Ik stapte uit. De president zelf omhelsde me met veel warmte en nodigde me uit om door te lopen over het rode tapijt dat ze voor ons hadden uitgelegd, terwijl de erewacht stond aangetreden. Binnen werden we opgewacht door allerlei familieleden van Consuelo en van mij, en Piedad Córdoba was er ook. Ik was nog steeds heel geëmotioneerd, en mijn handen waren ijskoud. Mijn moeder en mijn nicht pakten ze vast en wisten nog een warme kop koffie voor me te krijgen. De president heette ons welkom, en mijn moeder en ik overstelpten hem met dank voor zijn succesvolle actie. We hadden geen woorden om onze immense dankbaarheid te uiten. Hij wist dat we op dat moment eigenlijk maar één ding wilden: uitrusten en bij onze familie zijn. Het werd dus een korte bijeenkomst. Na afloop kwamen de verslaggevers weer binnen om foto's te maken, en namen we met nieuwe dankbetuigingen afscheid van Chávez.

We werden naar een prachtig hotel gebracht, en ik had het gevoel in een droom te leven. We kregen een spectaculaire suite, en toen kwam ook mijn broer Iván, die me met kracht omhelsde. Ze vroegen me wat ik wilde doen, en ik zei dat ik natuurlijk eerst lekker warm wilde douchen en met mijn zoon wilde praten. Mijn broer beloofde te gaan bellen terwijl ik onder de douche ging. Ik bleef een hele tijd in het water omdat ik nog steeds een vat vol emoties was en me moest ontspannen. Allerlei soorten shampoo, zeep en crèmes stonden voor me klaar. Ik heb ze volgens mij allemaal geprobeerd, en een van de parfums was geknipt voor me. Ik heb er minstens een halve fles van gebruikt. Aan de muur van de badkamer hing een enorme spiegel. Ik ging ervoor staan om me te bekijken, hoewel het ook beangstigend was om na al die jaren in het oerwoud mijn hele lichaam te zien. Ik was naakt en liet mijn blik over mijn lichaam glijden. Ik zag het litteken van de keizersnee, mijn vermoeide gezicht en de eerste rimpels die op mijn voorhoofd te zien waren. Maar ik was gezond en nog intact, en daar was ik dankbaar voor. Ik trok een ochtendjas en een paar pantoffels aan – gerieflijker schoeisel dan ik in jaren bezeten had – en kwam de badkamer uit om de nieuwe kleren aan te trekken die ze voor me hadden klaargelegd, tot schoenen en kousen aan toe. Mijn moeder liet me een koffer vol spullen voor Emmanuel zien: kleren, handdoeken, toiletspullen voor kinderen en speelgoed. Een deel daarvan was een cadeautje van de Venezolaanse regering, en er was zelfs een auto met afstandsbediening bij. Op de kamer stonden allerlei boeketten bloemen. Ik wierp opnieuw een blik op de suite, die bijzonder luxe was, en zag verrast dat ik zelfs kon kiezen uit allerlei soorten kussens. Mijn broer gaf me de telefoon, want hij had Elvira Forera aan de lijn, de bijzonder vriendelijke directrice van het Instituo Colombiano de Bienestar Familiar (ICBF), die me gedetailleerd vertelde hoe het met mijn zoon ging. Ze waarschuwde dat ik hem beter niet kon blootstellen aan de waanzin met de media, en daar was ik het van harte mee eens. Maar ik vroeg haar wel om toe te staan dat hij, totdat ik hem kwam halen, alle gebeurtenissen op de tv volgde, en we spraken af dat we elkaar de volgende dag weer zouden bellen. Het was heerlijk om met haar te kunnen praten, want ze gaf me het gevoel dat ze mijn zus was. Omdat ze de situatie van mijn zoon zo goed kende, was het heel geruststellend om met haar te praten.

Als avondeten brachten ze iets lichts: kippenbouillon, vruchtensalade en roomijs, waar ik veel trek in had. Net toen we klaar waren, belde de vrouw van de Colombiaanse president, Lina Moreno de Uribe, die eerst mijn moeder en toen mij feliciteerde en heel vriendelijk met ons praatte. Tien minuten later belde president Uribe zelf. Hij klonk heel hartelijk maar ook een beetje ontmoedigd. Ik zei tegen hem dat dit een moment was waarop iedereen gelukkig kon zijn, en ik merkte dat hem dat geruststelde. Ik dankte zowel hem als zijn vrouw voor hun gebaar.

Mijn familieleden en ik besloten een poging te wagen om een beetje uit te rusten. Ik ging in het enorme bed liggen, en wat was het een genot om de schone lakens op mijn huid te voelen! Echt fantastisch. En dan die zachte kussens! Al die dingen hadden niets te maken met de plaatsen waar ik de zes jaar en de nacht daarvoor geslapen had. Ik viel meteen in slaap maar was om twee uur 's nachts alweer wakker. Ik stond op om naar buiten te kijken, en zag dat we ons heel hoog in het hotel bevonden – op de vijftiende verdieping, als ik me niet vergis. Alle lichtjes van de stad waren te zien. Ik zette de tv aan en zapte, denkend aan mijn zoon, naar een tekenfilm. Intussen bladerde ik de pers door. Een Venezolaanse krant publiceerde een foto van Emmanuel, en dat deed ook het Colombiaanse tijdschrift *Semana*.

Het was de eerste foto die ik van hem zag. Hij was erg veranderd en heel groot geworden. Toen we gescheiden werden, was hij nog maar acht maanden oud, en intussen was hij bijna vier. Ik was onder de indruk van het licht in zijn ogen. Ik wierp ook een blik op andere kranten, maar toen brak de nieuwe dag aan en ging ik nog even naar bed. Om half tien kwam mijn moeder me wekken omdat het Colombiaanse radiostation W-Radio belde, en ik praatte een half uur met hen.

Vervolgens kleedde ik me aan en vroeg de mensen om me heen om de ICBF-directrice te bellen om te zien of ik met mijn zoon kon praten. Intussen kwam het ontbijt en arriveerden mijn broer en mijn nicht, met wie we onze activiteiten van de dagen daarna bespraken. Nog later kwam een Venezolaanse ambtenaar om ieders activiteiten onderling te coördineren en hij zei dat er veel belangstelling was voor een eventuele persconferentie van ons. Hij bood ons medische hulp aan bracht de groeten over van president Chávez, die ons uitnodigde om een paar maanden buiten de stad uit te rusten. We waren dankbaar voor zijn royale gebaar en spraken af dat we er over zouden nadenken om er later op terug te komen.

Op dat moment stonden twee dingen voor mij voorop: ik wilde zo snel mogelijk mijn zoon zien en me medisch laten onderzoeken. Diezelfde middag voerden Cubaanse artsen een eerste onderzoek uit. Ze bekeken zelfs mijn ogen, omdat ik lenzen nodig had. Die waren even later klaar.

De volgende dag was het zaterdag 12 januari. Ik stond vroeg op, en er werd diverse keren bloed bij me afgenomen. Daarna ging ik met mijn moeder naar een ziekenhuis, waar nieuwe onderzoeken plaatsvonden. We bleven daar tot een uur of twee en gingen naar het hotel terug om met mijn broer en nicht te lunchen. Hij bevestigde dat de Colombiaanse regering, zodra we maar wilden, een vliegtuig zou sturen om ons naar huis te brengen. Ik zei dat ik zo snel mogelijk bij mijn zoon wilde zijn. Aan het eind van de middag kwam de Argentijnse ambassadrice, die ons uitnodigde voor een bezoek aan haar land. Daarna volgde een exclusief interview met de Venezolaanse zender Telesur. Diezelfde avond was de persconferentie. De zaal was vol, en het was indrukwekkend om al die verslaggevers uit de hele wereld te zien. Mijn moeder en mijn broer zaten bij me aan tafel. Het eerste wat ik deed, was mijn dank uitspreken aan alle media voor de aandacht die ze aan mijn ontvoering hadden gegeven en voor hun geweldige solidariteit. Daarna beantwoordde ik stuk voor stuk hun vragen. Het was opmerkelijk hoeveel warmte iedereen uitstraalde. Er heerste een heel bijzondere sfeer en iedereen had veel belangstelling voor hoe ik me voelde en hoe het met de andere gevangenen ging. Na afloop van de persconferentie werden we opgewacht door de artsen met de resultaten van hun voorlopige onderzoek. Onze gezondheidstoestand bleek redelijk. We moesten ons ook aan andere proeven onderwerpen maar besloten dat te doen als we weer in Colombia waren, want we wilden de volgende dag vertrekken.

Op zondag 13 januari stonden we heel vroeg op. Ik kon de gedachte aan mijn zoon niet van me afzetten en zocht op de tv naar een tekenfilm. We gingen naar de lounge van het hotel en namen afscheid van de diverse mensen die ons waren komen groeten. Een groep verslaggevers ging met ons mee naar het vliegveld. Bij onze aankomst stond het toestel van de Colombiaanse luchtmacht al klaar, en toen namen we afscheid van de Venezolaanse autoriteiten. Om elf uur 's morgens vertrokken we naar Colombia. Afgezien van de bemanning reisden ook twee functionarissen van het Hoge Commissariaat voor de Vrede met ons mee die al sinds mijn aankomst met me wilden praten. Het waren een jongeman en een jonge vrouw die met hun verantwoordelijkheidszin, ijver en zorgvuldigheid een goede indruk op me maakten.

Eenmaal in het Colombiaanse luchtruim liet de gezagvoerder het volkslied horen. Het werd een heel bijzondere en emotionele reis, en onze aankomst in Bogotá vormde daarop geen uitzondering. Juan Manuel Santos, de minister van Defensie, en Luis Carlos Restrepo, de Hoge Commissaris voor de Vrede, stapten in het vliegtuig om ons te verwelkomen. Toen ik naar buiten kwam, zag ik een spreekgestoelte met een microfoon en een Colombiaanse vlag klaarstaan. Er waren honderden verslaggevers, die elk moment met hun camera vastlegden. Ze stelden een paar korte vragen, en daarna gingen we naar de vipzaal. Daar wachtten de Colombiaanse presidentsvrouw, de burgemeester van Bogotá (Samuel Moreno) met zijn vrouw, de minister van Sociale Zaken (Diego Palacio), de ombudsman voor minderjarigen van San José del Guaviare, de directrice van het ICBF en andere functionarissen van dat instituut. Ik zag er bovendien mijn twee andere broers, een van mijn schoonzusjes en mijn jongste nicht. Het was een bijzonder aangrijpend moment. Iedereen had tranen in zijn ogen. De ombudsman voor minderjarigen zette de toestand van mijn zoon en de uitslag van de DNA-proef uiteen, en die laatste bevestigde wat we al wisten: het kind dat het ICBF beschermd en verzorgd had, was mijn zoon Emmanuel.

Vanaf het vliegveld gingen we rechtstreeks naar het kindertehuis in het noordwesten van Bogotá. De minister van Sociale Zaken en de ICBF-directrice gingen in de auto met ons mee en vertelden onderweg welke medische zorg Emmanuel gekregen had in de lange tijd dat hij onder de hoede van het instituut had verbleven. Dankzij de uitzonderlijke toewijding van de dienst en de inzet van een hele reeks anonieme functionarissen in diverse delen van het land had mijn zoon alle medische hulp en zorg gekregen die hij nodig had. Hij was geopereerd aan zijn linkerarm om de botten weer op hun plaats te brengen, en voor een volledige mobiliteit hoefde hij alleen nog maar aan zijn zenuwen behandeld te worden. Intussen belde procureur-generaal Mario Iguarán, die zich eveneens veel om de toestand van het kind bekommerd had, vooral wat betreft de DNA-proeven.

Bij onze aankomst in het tehuis werden we opgewacht door de directie en familieleden van mij. Ze lieten ons het tehuis zien omdat dit de plaats was waar Emmanuel was opgegroeid. Ik vond het er heel mooi en netjes. Ze brachten ons vervolgens naar de tweede verdieping en lieten ons in een kamer wachten terwijl zij mijn zoon gingen halen. Al wachtend zag ik een prachtig olieverfschilderij van de Maagd Maria, en ik knielde voor Haar neer als dank voor deze immense zegen die ik ontvangen had – de grootste die ik ooit had afgesmeekt. Toen kwam mijn zoon binnen. Wat was hij prachtig! De schittering in zijn ogen was indrukwekkend. We keken elkaar een ogenblik strak en zwijgend aan. Ik vond hem heel groot. Hij was goed gegroeid en lang voor zijn leeftijd (drie jaar en negen maanden). Het was verrassend om hem ineens mee te maken als een kind dat liep en praatte, want toen ze hem hadden weggehaald, was hij nog maar een baby. Het viel me op dat zijn haar kennelijk vlak daarvoor geknipt was. Hij maakte een ontspannen indruk en liep kalm naar me toe. Ik ging nog lager op mijn knieën zitten om op zijn ooghoogte te komen, en toen omhelsde hij me en noemde hij me mama. Dat beeld kreeg de hele wereld korte tijd later te zien. We kregen glazen champagne om het moment te vieren, en voor Emmanuel was er frisdrank. Mijn broers hadden een bordspel voor hem meegebracht dat hij nog in elkaar moest zetten. Ze gaven het hem, en hij begroette iedereen. Ook zijn ontmoeting met mijn moeder was heel bijzonder. Hij bleek ons al op de tv te hebben gezien toen we in Bogotá uit het vliegtuig stapten. Hij herkende zijn moeder en oma, zodat hij ons zonder aarzelen omhelsde toen we eenmaal voor hem stonden. Het waren momenten die voor altijd in ons hart en onze geest gegrift zullen blijven. Daarna brachten ze Emmanuel en mij naar een kamer waar hij eten kreeg, want het was al vijf uur 's middags. Het was prachtig om te zien dat hij al alleen kon eten, en hij at zijn hele bord met rijstsoep (een seco, zoals ze in Colombia zeggen) leeg. Ik weet ook nog dat hij rode bieten kreeg, en ook die at hij met smaak. Later ging hij in zijn eentje naar het toilet en trok hij zelf door.

Mijn broer Iván nodigde ons uit om naar zijn flat te gaan om de kerstboom te bekijken die daar nog steeds voor Emmanuel was blijven staan, en zo vertrokken we uit het tehuis. In het appartement kregen we ajiaco met kip voorgezet en mijn broer bood me ook whisky aan, maar ik dronk liever niets omdat ik doodmoe was. Na het eten gingen we naar een hotel waar ik de eerste dagen van mijn nieuwe vrijheid met mijn moeder en mijn zoon verbleef terwijl ik al mijn zaken regelde.

Die dagen waren heel bijzonder. Ik herinner me vooral de zonsopgangen. Onze kamer had een enorm raam, en ik genoot van Emmanuels aanblik, die in het eerste zonlicht van de dag diep lag te slapen. Mijn leven veranderde snel, en ik was dankbaar omdat elke nieuwe dag beter was dan de vorige.

29

Een nieuw leven

Het was niet al te moeilijk om weer te wennen aan het leven met mijn zoon en mijn normale activiteiten op te pakken. Ooit was het veel moeilijker geweest om aan mijn gevangenschap te wennen, en volgens mij is het me eigenlijk nooit gelukt om me aan te passen aan een leven zonder vrijheid. Maar de terugkeer naar mijn vroegere leven bleek dankzij de hulp van familieleden en vrienden, die me met een heleboel liefde en begrip opvingen, iets heel plezierigs en opbeurends, zowel voor mij als voor mijn zoon.

Ik had uiteraard veel te doen en noteerde alles in een schrift waarin ik ook mijn prioriteiten aangaf. In de uren van eenzaamheid en tijdens lange marsen had ik veel tijd besteed aan het besluit om lichamelijk in vorm te blijven, maar ik wilde ook de best mogelijke geestelijke omstandigheden handhaven om na mijn bevrijding mijn oude leven zonder trauma's op te kunnen pakken. Ik had er zo veel over nagedacht dat ik alles in recordtijd op orde had. Het eerste en belangrijkste was het herstel van mijn affectieve banden met mijn zoon Emmanuel. Ik wilde hem de nodige tijd geven om eraan te wennen dat hij weer bij mij verbleef, en hem de veiligheid en vriendschap van een gezin bieden. Mijn tweede prioriteit was gedetailleerd nagaan hoe het met de gezondheid van mijn zoon, mijn moeder en mezelf ging. De derde was vaststellen hoe ik er financieel aan toe was om mijn koers te kunnen bepalen. En de vierde had ook met de eerste te maken: ik wilde afstand scheppen tot de media en een leven gaan leiden zonder grote schokken, vooral ter wille van Emmanuel.

Het herstel van mijn relatie met mijn zoon is natuurlijk een taak die nooit ophoudt, maar we zijn flink opgeschoten. We voelen ons verenigd en hebben een grote mate van harmonie en wederzijds begrip bereikt. Begin 2008 hebben we anderhalve maand samen rondgereisd. Daarna moesten we ons op onze gezondheid concentreren, en toen alle medische onderzoeken achter de rug waren, stelden we een lijst van ingrepen op, want bij alle drie waren operaties noodzakelijk.

De zwaarste en riskantste ingreep was die bij mijn moeder, en zij ging als eerste onder het mes. Daarna was ik aan de beurt. In werkelijkheid waren het diverse operaties tegelijkertijd, want ze moesten de schade van de nood-keizersnee in het oerwoud herstellen en maakten van de gelegenheid gebruik om mijn blaas te verwijderen. Ik herstelde er heel moeizaam van. De tijd na de operatie was zwaar, en ik moest een maand in bed blijven. Maar ik deed mijn best om zo snel mogelijk weer op de been te zijn, want wat nog ontbrak, was de armoperatie van Emmanuel, die overigens veel sneller herstelde dan we dachten. Deze reeks chirurgische ingrepen duurde tot eind juni 2008. Intussen organiseerde ik ook mijn huis in de buitenwijken van Bogotá om een geschikte plek te hebben waar ik kon wonen. Emmanuel ging naar een crèche, waar hij veel speelde, zong en naar verhaaltjes luisterde. Hij vierde ook zijn vierde verjaardag: de ene dag met nieuwe vriendjes in de crèche en op de andere met de kinderen bij wie hij tot dan toe gewoond had. We woonden diverse missen met dankgebeden bij, georganiseerd door de verschillende clubs waarvan ik lid was, maar ook door mijn school en door de universiteit waar ik gestudeerd heb. In het tweede semester zocht ik een basisschool waar mijn zoon naartoe kon gaan, en dat gebeurde vorig jaar september. Hij was inmiddels van zijn operatie hersteld en had vijfendertig sessies met een fysiotherapeut achter de rug.

Het verhaal van mijn ontvoering heeft veel belangstelling gewekt, en ik kreeg van diverse uitgeverijen voorstellen om mijn getuigenis op papier te zetten. In de tweede helft van 2008 na een vakantie in Zuid-Spanje begon ik er eindelijk aan en wijdde me fulltime aan het schrijven van dit boek. Ik moet bekennen dat ik meermalen volstrekt vast heb gezeten. Het was niet makkelijk om terug te keren in de tijd. Ik moest mezelf de tijd en de afstand gunnen om bepaalde zaken onder ogen te zien, maar ondanks alles is het heel stimulerend geweest om mijn ervaringen vast te leggen. Ik heb altijd graag geschreven, en hoop mijn lezers ooit nog eens te verrassen met andere onderwerpen, die minder onaangenaam zijn dan een gevangenschap in het oerwoud.

Ik ben het hele jaar ook humanitair actief geweest voor de bevrijding van mensen die nog steeds gevangenzitten, en ik heb aan alle marsen meegedaan die georganiseerd zijn om hun snelle vrijlating te eisen. Ik heb met een paar staatshoofden gepraat, heb deelgenomen aan forums en congressen en heb meer dan eens over de radio berichten verstuurd om de slachtoffers en hun families een hart onder riem te steken. Mijn vreugde was natuurlijk groot toen eenzijdig ook andere gevangenen werden vrijgelaten en toen de operatie-Jaque succes had, vooral omdat bij die gelegenheid niet alleen de militairen, de politiemannen en de drie Amerikanen werden gered maar ook Ingrid Betancourt het er levend van afbracht. Voor mij was het een enorme opluchting te weten dat ze in vrijheid verkeerde.

Sinds mijn bevrijding heb ik heel belangrijke en verrijkende momenten beleefd die me hebben geholpen om als mens, als moeder en als vrouw te groeien. En het jaar 2009 is begonnen met de vurige wens om mijn getuigenis aan zo veel mogelijk lezers te kunnen voorleggen.

30

De tijd die niet terugkomt

Terugkijkend komt onwillekeurig melancholie bij me op. Eén ding zal ik nooit terugkrijgen: de tijd die verstreken is en niet terugkeert, met name de eerste drie jaar van Emmanuels leven, een fundamentele fase in de emotionele ontwikkeling van een kind die we niet samen hebben kunnen beleven. Die scheiding heeft ons beiden onherstelbaar beschadigd. Ook heb ik bijna zes jaar verloren die ik aan de zijde van mijn moeder en de rest van de familie had kunnen zijn en die ik aan mijn persoonlijke en professionele ontwikkeling had kunnen wijden.

Het is dieptriest te bedenken dat me tijdens mijn gevangenschap zes hoogst waardevolle jaren ontstolen zijn. Op het moment van mijn ontvoering was ik net achtendertig en stond ik midden in het leven. Nog steeds vraag ik me voortdurend af hoe ik die verloren tijd kan terughalen, vooral de tijd waarin ik van mijn zoon gescheiden was. Voor iemand die zo lang gevangen heeft gezeten, is het verlies van een hele levensfase nog erger dan de ontberingen van de gevangenschap zelf. Je leidt gewoon je leven, maar ineens val je in een gat waarin je jarenlang verblijft, waarin je normale leven stokt en waarin je niet meer bestaat. Er zijn geen woorden om die schade te beschrijven.

Een paar dagen geleden vroeg Emmanuel: 'Mama, waarom ben je me niet eerder komen halen? Ik heb je gemist.' Ik antwoordde: 'Er waren helaas mensen die dat verhinderden.' En hij wilde met kinderlijke hardnekkigheid weten: 'Maar waarom? Waarom? Waarom?' 'Dat zul je aan henzelf moeten vragen. Het belangrijkste is dat we nu samen zijn,' antwoordde ik.

Het leed en het verdriet hebben diepe sporen in ons lichaam en hart achtergelaten. Dat staat buiten kijf. Maar ik probeer er niet verbitterd over te worden. Ik aanvaard het als iets wat me is overkomen, en ga door met mijn leven. Heel belangrijk is dat ik noch mijn familie ons slachtoffers willen voelen. Daartoe hebben we ons van het begin af aan ingespannen – en dat doen we nog steeds. We proberen in onze blik tot uiting te brengen hoe heerlijk het is dat we nog leven en de kans hebben gehad om elkaar terug te zien en een echte wedergeboorte mee te maken.

Er ligt nog een enorme taak op ons te wachten: de herwinning van de verloren tijd, voor zover dat mogelijk is.

31

Vergeving

Sinds mijn vrijlating heb ik talloze bewijzen van liefde en solidariteit gekregen in de vorm van brieven, cd's, boeken, folders, gebeden, illustraties en zelfs affiches. Door al die attenties is het goed tot me doorgedrongen dat veel engeltjes ons met hun licht en goede wensen omringen. Om mijn normale leven weer op te pakken en alle veranderingen te integreren heb ik heel veel moeten nadenken, en het schrijven van dit boek heeft me daarbij bijzonder geholpen. Ik kan nadenken wat ik wil, maar sommige houdingen en daden van mensen begrijp ik nog steeds niet. Tegelijkertijd heb ik vastgesteld dat ik die allemaal aan Gods wijsheid kan toevertrouwen.

De vervloekingen en zegeningen van het leven zijn twee kanten van dezelfde medaille, en iedereen beslist zelf hoe hij of zij ertegenaan wil kijken. Ik ben ervan overtuigd dat wij mensen die ons kwaad doen, moeten zegenen in plaats van vervloeken.

Als ik weer volop in het leven wil staan, dan moet ik van ganser harte vergeving schenken aan iedereen die bij mij zo veel schade heeft aangericht. En dat doe ik ook, overtuigd als ik ben van het feit dat ik de zware last van het verdriet niet wil blijven voortslepen en hem al helemaal niet wil doorgeven aan mijn zoon Emmanuel en de toekomstige generaties die hij vertegenwoordigt. Mijn levenservaring lijkt me de belangrijkste erfenis die ik mijn zoon kan nalaten. Emmanuel moet begrijpen dat zijn moeder een gelukkige vrouw is, ondanks de tegenslagen die ze op haar weg ontmoette en wist te overwinnen. Ter wille van mijn zoon heb ik uit mijn ziel elk spoortje rancune verwijderd. Ik wil de rest van mijn leven niet slijten in verbittering om iets wat voorbij is. Ik heb nog veel jaren te leven, en zal niet toestaan dat die bedorven worden. De hele tragedie ligt zonder enige twijfel achter me en is op veel momenten niet meer dan een simpele anekdote geworden.

En om het leed te overwinnen, moeten we het werkwoord 'vergeven' gaan vervoegen: ik vergeef, jij vergeeft, hij of zij vergeeft, wij vergeven, jullie vergeven, zij vergeven.

32

Morgen

Ik zie de toekomst met veel optimisme tegemoet. Als ik iets van mijn ervaringen in gevangenschap heb geleerd, dan is het wel dat ik mijn normale leven met meer rust overzie en de obstakels en moeilijkheden die ik op mijn weg aantref, relativeer. Door dit boek te schrijven heb ik een taak volbracht en een levensfase afgesloten, zodat ik aan een nieuwe kan beginnen. Er zijn nog een paar medische kwesties die veel geduld vragen, zoals de sessies met de fysiotherapeut voor de linkerarm en -hand van mijn zoon. En ik moet nog steeds een operatie ondergaan vanwege een hernia die ik heb overgehouden aan een te zware bepakking in het oerwoud. Het onderwerp lijkt minder belangrijk maar moet wel worden afgewikkeld. Beide zaken staan voor 2009 op het programma.

Ik heb ook nieuwe plannen, en die krijgen steeds meer vorm. Ik wil heel dicht bij mijn kind blijven en veel van mijn rol als moeder genieten. Maar dan houd ik nog een hoeveelheid tijd over die ik constructief wil besteden. Ik ben uitgenodigd om tijdens diverse internationale congressen te vertellen hoe uit mijn ervaringen een positieve levenshouding valt te putten, en het lijkt me interessant om elk jaar een paar dagen aan zulke bijeenkomsten te besteden. Ik wil ook blijven schrijven over onderwerpen die me bezighouden, zoals de jonge vluchtelingen, onze bedreigde voedselsituatie en de opwarming van de atmosfeer.

Ik heb besloten om in mijn geliefde land bij mijn familie en vrienden te blijven. Colombia is en blijft een land met enorme contrasten en mogelijkheden, ondanks de moeilijkheden die het land nog steeds doormaakt. We zijn geconfronteerd met uitdagingen maar hebben genoeg menselijkheid, elan en jeugd om ze aan te gaan. Met de hulp van God komt de rest vanzelf.

Dankbetuiging

Duizendmaal dank aan allen die met hun hardnekkige gebeden, daden en geloof hun harten verenigd hebben om dit wonder van leven en vrijheid tot stand te brengen.

Duizendmaal dank ook aan de mensen bij Plon en overal elders ter wereld, die aan dit boek hebben bijgedragen.

Noten

1. In november 1998 startte president Andrés Pastrana een onderhande- lingsproces met de FARC, en daarvoor beval hij de demilitarisering van een ongeveer 40.000 km² groot gebied in Zuid-Colombia, waar de guerrillabeweging de vrije hand kreeg. In het kader van dat proces had Pastrana zelfs een ontmoeting met Manuel Marulanda, de hoogste lei- der van de guerrillero's. Maar na verscheidene onderbrekingen van de dialoog en na wederzijdse beschuldigingen over belemmering van de gesprekken verklaarde Pastrana op 20 februari 2002 dat hij het proces afbrak omdat de guerrillabeweging niet echt naar vrede streefde. (Red.)
2. President Andrés Pastrana bracht diezelfde dag een bezoek aan San Vicente del Caguán om na de opheffing van de gedemilitariseerde zone te bewijzen dat de overheid het daar weer voor het zeggen had. (Red.)
3. Ik heb me wel eens afgevraagd of het toeval was dat de president die dag eveneens naar San Vicente del Caguán ging. Zijn bezoek was pas de avond tevoren bevestigd, en het zou pure speculatie zijn om te zeggen dat hij zijn reis vervroegde toen hij over de onze hoorde. Ik heb niet ge- noeg gegevens om zoiets te mogen beweren.
4. Gloria Polanco de Lozada, een vrouwelijke politicus uit het departa- ment Huila, was op 26 juli 2001 met haar twee zoons in haar eigen ap- partement ontvoerd. Orlando Beltrán, parlementslid voor datzelfde departement, overkwam dat lot op 28 augustus 2001. Het parlements- lid Consuelo González de Persomo was op 10 september 2001 aan de

beurt en senator Eduardo Gechem op 20 februari 2002. (Red.)

5. Alan Jara, de ex-gouverneur van Meta, werd op 15 juli 2001 ontvoerd. (Red.)

6. De guerrillero's ontvoerden op 11 april 2002 twaalf afgevaardigden uit Valle del Cauca. (Red.)

7. De gouverneur van Antioquia, Guillermo Gaviria, en zijn vredesadviseur Gilberto Echeverri werden op 21 april 2002 ontvoerd. Met deze gijzelingen van politici en burgers probeerden de FARC de regering onder druk te zetten. De guerrillero's streefden naar een humanitair akkoord om gijzelaars te ruilen voor gevangen guerrillastrijders. Die gijzelaars heetten ook wel *canjeables* ('uitruilbaren'). Ook Ingrid en Clara hoorden tot deze categorie. (Red.)

8. San Vicente del Caguán ligt op honderdzestig kilometer van Florencia. (Red.)

9. Soort kapmes dat meestal gebruikt wordt om onkruid te wieden. (Red.)

10. José Cebas, alias Mocho César, leidde het vijftiende front van de FARC, dat Ingrid en Clara ontvoerde. Hij was een vertrouweling van de FARC-leiding. (Red.)

11. Term die in militaire kringen gebruikt wordt voor een verborgen plaats of een plaats waar iets verborgen wordt gehouden. (Red.)

12. De journaliste Diana Turbay was een dochter van ex-president Julio César Turbay en werd op 25 januari 1991 op 37-jarige leeftijd door Colombiaanse drugshandelaren ontvoerd. Na een gevangenschap van ruim vier maanden werd een reddingspoging ondernomen. Ze kwam tijdens het vuurgevecht tussen de politie en de drugshandelaren om het leven.

13. Water dat is aangezoet met ruwe rietsuiker. (Red.)

14. Milton de Jesús Tonal Redondo, alias Joaquín Gómez, was de verantwoordelijke voor het zuidelijke blok van de FARC. (Red.)

15. Zwarte koffie. (Red.)

16. Pedro Antonio Marín, alias Manuel Marulanda, was de onbetwiste leider van de FARC tot aan zijn (naar het schijnt natuurlijke) dood op

26 maart 2008. Hij was toen 78. Ooit had hij een boerenorganisatie aangevoerd, en onder zijn leiding werden in 1964 de Fuerzas Armadas Revolucionarias de Colombia (FARC) gesticht. Hij nam deel aan allerlei onderhandelingen met een reeks achtereenvolgende Colombiaanse regeringen en werd het mikpunt van veel kritiek omdat hij de problemen van het land probeerde op te lossen door middel van geweld, afpersing, ontvoering en drugshandel. Het al verscheidene decennia durende conflict heeft duizenden mensenlevens gekost. (Red.)

17. Luis Morantes, alias Jacobo Arenas, was de ideologische leider en een van de stichters van de FARC. In 1990 stierf hij aan kanker. Hij zag zichzelf als een soort opvolger van de door hem bewonderde Ernesto Che Guevara en bracht de guerrillero's de marxistisch-leninistische doctrine bij. (Red.)

18. Hoogste orgaan van de FARC, dat uit zeven leden bestaat. De man die meer dan veertig jaar de leiding heeft gehad (Guillermo León Sánchez alias Alfonso Cano), werd na Marulanda's dood de hoogste commandant van de guerrillero's. Het secretariaat leed op 1 maart 2008 opnieuw een belangrijk verlies toen Luis Edgar Devia Silva alias Raúl Reyes bij een Colombiaanse luchtaanval op Ecuadoriaans grondgebied sneuvelde. Hij werd opgevolgd door Joaquín Gómez, de hoogste man van Blok Zuid. De andere leden van het secretariaat zijn Rodrigo Londoño Echeverri, alias Timoleón Jiménez, Jorge Briceño Suárez alias Mono Jojoy, Luciano Marín Arango alias Iván Márquez, Wilson Valderrama alias Mauricio el Médico en Jorge Torres Victoria alias Catatumbo. (Red.)

19. Guillermo Gaviria en Gilberto Echeverri waren samen met diverse soldaten door de FARC ontvoerd en in mei 2003 overeenkomstig de regels van de guerrilla door hun bewakers doodgeschoten tijdens een reddingspoging door het Colombiaanse leger. Die tragedie wekte fel verzet bij de publieke opinie (vooral bij de familieleden van andere gijzelaars) tegen zulke militaire operaties en leidde tot een wijziging van president Uribes strategie. (Ed.)

20. Guerrillaleider. (Red.)

21. Een honderdtal burgers die hun toevlucht tot een kerk hadden gezocht wegens hevige gevechten tussen de guerrillastrijders en de paramilitairen, kwamen op 2 mei 2002 om toen een FARC-bom ontplofte. (Red.)

22. Cantinflas is een in Latijns-Amerika en Spanje overbekend komisch personage. De rol wordt in talrijke films gespeeld door de Mexicaanse acteur Mario Moreno, die in 1993 overleed. (Red.)

23. Hely Mejía Mendoza alias Martín Sombra stond als guerrillaleider bekend als de 'cipier' van de FARC omdat hij verantwoordelijk was voor de bewaking van de gevangenen. Hij behandelde hen zonder mededogen. Op 26 februari 2008 werd hij door de Colombiaanse politie gevangengenomen. (Red.)

24. Marquetalia is een afgelegen plattelandsgebied in het zuiden van Colombia. Het ligt midden in de bergen van het departement Tolima. Deze streek geldt als de wieg van de FARC, omdat een groep opstandige boeren daar in 1964 onder leiding van Manuel Marulanda in opstand kwam. (Red.)

25. Rond oktober 2003 werden Ingrid en Clara samen met andere gevangenen met wie ze al een paar weken verenigd waren, naar een kamp onder leiding van Martín Sombra gebracht. Daar bevond zich al een groep ontvoerde militairen en politiemensen. (Red.)

26. De Amerikanen Thomas Howes, Keith Stansell en Mark Gonsalves werden door de FARC ontvoerd toen ze deelnamen aan een antidrugsoperatie waarbij hun vliegtuig neerstortte – volgens de Verenigde Staten neergehaald door de guerrilla. Het kwam op 13 februari 2003 midden in het oerwoud terecht. (Red.)

27. De andere vrouwen waren Ingrid Betancourt, Consuelo González de Perdomo en Gloria Polanco de Lozada.

28. Minister van Defensie Juan Manuel Santos gaf het startsein voor operatie-Jaque, de slimme truc waarmee het Colombiaanse leger op 2 juli 2008 Ingrid Betancourt en veertien andere gevangenen (onder wie de drie Noord-Amerikaanse gijzelaars) wist te bevrijden zonder dat er ook

maar één schot gelost werd. Een groep agenten van de militaire inlichtingendienst simuleerde een humanitaire overplaatsing van gijzelaars en wisten daarmee de guerrillero's te misleiden die hen gevangen hielden. De guerrilla-eenheid stond onder leiding van commandant César.

29. Soort pannenkoek van tarwebloem. (Red.)

30. Álvaro Uribe is president sinds augustus 2002 en werd in 2006 herkozen. Zijn regering kwam met maatregelen om de demobilisatie van paramilitairen en guerrillero's te bevorderen. Duizenden van hen hebben de wapens neergelegd. (Red.)

31. De Colombiaanse journalist Jorge Enrique Botero publiceerde deze onthulling in april 2006 in zijn boek *Últimas noticias sobre la guerra*. (Red.)

32. *Semana*, april 2006.

33. Ze werd in 1956 geboren en had een succesvolle toneel-, film- en tv-carrière.

34. Het Plan Patriota is een ambitieuze militaire operatie waartoe de regering van Álvaro Uribe met Amerikaanse steun in 2004 het startsein gaf met het doel de infrastructuur van de guerrillero's te vernietigen, de commandanten uit het oerwoud te verjagen en een militaire aanwezigheid te vestigen in afgelegen gebieden met guerrilla-enclaves. (Red.)

35. Kapitein bij de politie. Hij werd op 12 juli 1999 ontvoerd. (Red.)

36. Hij overleed op 41-jarige leeftijd na een gevangenschap van zeven jaar op 20 januari 2006. Zijn gezondheid was langzamerhand verslechterd, en volgens diverse medegevangenen gaven de FARC hem niet de vereiste medische zorg. (Red.)

37. Kolonel Mendieta werd op 1 januari 1998 met zestig andere politiemensen en militairen door de FARC ontvoerd. Op het moment dat wij dit schrijven, is hij nog steeds gevangen. (Red.)

38. Ziekte die door een muggenbeet veroorzaakt wordt. De aandoening komt vooral in tropische oerwouden voor en wordt gekenmerkt door zweren op de huid. De behandeling duurt lang en vereist injecties. De ziekte kan zonder behandeling dodelijk zijn.

39. De man van Gloria Polanco de Lozada, die in 2001 met twee van haar kinderen ontvoerd was. Hij werd op 3 december 2005 door de FARC bij een hinderlaag vermoord toen hij een deel van het losgeld ging betalen dat voor zijn twee kinderen geëist was. (Red.)

40. Dit Humanitaire Akkoord streeft naar de bevrijding van ontvoerden, de zogenoemde 'uitruilbaren' – het waren er ongeveer zestig, in meerderheid politici – in ruil voor gevangengenomen guerrillero's van de FARC. Als voorwaarde voor de onderhandelingen eisen de FARC van de regering de demilitarisering van een gebied waar de afgevaardigden van beide partijen kunnen onderhandelen, maar president Álvaro Uribe is daar tegen. (Red.)

41. Frank Pinchao was negen jaar gevangene van de FARC maar wist op 27 april 2007 te ontsnappen. Na zijn bevrijding gaf hij bekendheid aan de omstandigheden van zijn gevangenschap bij de guerrillero's. Hij bevestigde het gerucht dat Clara Rojas in 2004 in het oerwoud een zoon had gekregen, vertelde dat hij Emmanuel heette en al bij zijn geboorte een probleem met zijn arm had, en onthulde dat het kind al twee jaar van zijn moeder gescheiden was. Dat nieuws wekte veel beroering. (Red.)

42. Elf van de twaalf afgevaardigden uit Valle del Cauca, die in 2002 door de FARC ontvoerd werden, kwamen in juni 2007 om bij een vuurgevecht dat ontstond in het kamp waar ze gevangenzaten. De guerrillabeweging verklaarde aanvankelijk dat er sprake was geweest van een militaire operatie, maar moest later toegeven dat hun veiligheidssysteem gefaald had. Later bleek dat de guerrillero's hen eenvoudig hadden gefusilleerd. De enige overlevende was Sigifredo López, die op 5 februari 2009 bevrijd werd en deze versie bevestigde. (Red.)

43. Álvaro Uribe. (Red.)

44. Nicolas Sarkozy. (Red.)

45. Rodrigo Granda, de zogenaamde kanselier van de FARC, werd door Venezolaanse veiligheidstroepen in Caracas opgepakt en later door de Colombiaanse politie gearresteerd. De Colombiaanse regering stelde

hem uiteindelijk op 4 juni 2007 in vrijheid op verzoek van de Franse president Nicolas Sarkozy, die in het Colombiaanse conflict probeerde te bemiddelen ter wille van de vrijlating van Ingrid Betancourt, die ook de Franse nationaliteit bezit. (Red.)

46. Omdat de Colombiaanse regering deze humanitaire inspanning van senator Piedad Córdoba en president Chávez toestond, en dankzij hun onderhandelingen over onze vrijlating raakte ik uiteindelijk vrij.

47. Eind november 2007 maakte de Colombiaanse regering een eind aan de bemiddeling van senator Piedad Córdoba en de Venezolaanse president Chávez om gijzelaars te ruilen voor gevangengenomen guerrillero's. Daardoor ontstond een diplomatieke crisis tussen beide landen. Als gebaar van goede wil tegenover Chávez besloten de FARC Clara Rojas en Consuelo González vrij te laten. Chávez coördineerde de invrijheidstelling persoonlijk. (Red.)

48. Alan Jara, de ex-gouverneur van Meta, werd op 15 juli 2001 door de FARC ontvoerd in het department Meta (Midden-Colombia). Tijdens zijn gevangenschap kreeg hij diverse aandoeningen, onder andere malaria, en ging zijn gezondheid achteruit. Op 3 februari 2009 kwam hij met andere gevangenen vrij als eenzijdig gebaar van de FARC na bemiddeling door Piedad Córdoba. (Red.)

49. Néstor Kirchner.

50. De Amerikaanse regisseur Oliver Stone kwam op 28 december naar Venezuela om Clara Rojas' vrijlating te filmen, maar die werd later uitgesteld.

51. Op 30 december meldden de FARC dat ze de vrijlating van de drie gijzelaars tijdelijk opschortten vanwege de grootscheepse militaire operaties die het Colombiaanse leger aan het uitvoeren was. De leden van de internationale commissie van toezicht gingen naar hun land terug. De Colombiaanse president Álvaro Uribe beschuldigde de FARC van leugens en zei dat de operatie in werkelijkheid vertraagd was omdat de guerrillabeweging Clara Rojas' zoon Emmanuel niet in handen had. (Red.)

52. Uribe onthulde dat een boer het kind twee jaar eerder aan het ICBF had overgedragen en dat zijn signalement overeenkwam met dat wat politieman Frank Pinchao had opgegeven. Deze had na zijn ontsnapping aan de FARC verklaard dat het kind al sinds zijn geboorte een probleem had met zijn arm. En Uribe kondigde aan dat hij bij het jongetje en bij de familie van Clara Rojas DNA-proeven ging laten doen om na te gaan of hij Emmanuel was. (Red.)

53. We waren bijna drie jaar gescheiden geweest, en al die tijd had ik niets van hem gehoord totdat president Uribe verklaarde dat hij in Colombia onder de hoede van het ICBF was geweest. Mijn zoon bleek op 23 januari 2005 of enkele dagen later door de guerrillabeweging te zijn overhandigd aan José Crisanto Gómez, een boer die zich met de FARC verbonden voelde en tot 20 juli voor Emmanuel zorgde. Toen ging hij met hem naar het medisch centrum van San José del Guaviare omdat hij medische zorg nodig had. Juist vanwege Emmanuels wankele gezondheid werd daar besloten om het kind vast te houden en hem de vereiste medische zorg te geven. De boer zit momenteel in de gevangenis wegens ontvoering. Mijn zoon was dus vanaf juli 2005 onder de hoede van het ICBF en werd op 13 januari 2008 aan mij teruggegeven.

54. In het kader van de humanitaire campagne van de Venezolaanse president Chávez zouden de FARC ons ergens in Colombia overdragen aan een delegatie van het internationale Rode Kruis, maar daarna zouden we naar Venezuela worden overgebracht om persoonlijk ontvangen te worden door president Chávez, die ons zou overdragen aan onze familie. Vandaar dat mijn moeder en broer er al waren.

55. Uiteindelijk mocht mijn broer niet met de helikopters mee omdat familieleden om veiligheidsredenen niet aan zulke operaties mochten deelnemen.

56. Ramón Rodríguez Chacín. (Red.)

57. Germán Sánchez. (Red.)

58. Nicolás Maduro. (Red.)